NIHIL OBSTAT
Rev. Msgr. Robert Coerver
Censor Librorum

IMPRIMATUR
† Most Reverend Kevin J. Farrell DD
Bishop of Dallas
November 21, 2011

The *Nihil Obstat* and *Imprimatur* are official declarations that the material reviewed is free of doctrinal or moral error. No implication is contained therein that those granting the *Nihil Obstat* and *Imprimatur* agree with the contents, opinions, or statements expressed.

Send all inquiries to:
RCL Benziger
8805 Governor's Hill Drive, Suite 400
Cincinnati, OH 45249
Toll Free 877-275-4725   Fax 800-688-8356
Visit us at www.RCLBenziger.com and
www.BeMyDisciples.com

30812 ISBN 978-0-7829-1661-4 (Level I, Bilingual Student Edition)
30814 ISBN 978-0-7829-1663-8 (Level I, Bilingual Catechist Edition)
30813 ISBN 978-0-7829-1662-1 (Level II, Bilingual Student Edition)
30815 ISBN 978-0-7829-1664-5 (Level II, Bilingual Catechist Edition)

2nd Printing
Manufactured for RCL Benziger in Cincinnati, OH, USA.
April 2017

Acknowledgments
Excerpts are taken and adapted from the *New American Bible* with Revised New Testament and Revised Psalms, © 1991, 1986, 1970, Confraternity of Christian Doctrine, Washington, D.C., and are used by permission of the copyright owner. All Rights Reserved. No part of the *New American Bible* may be reproduced in any form without permission in writing from the copyright owner.

Excerpts are taken and adapted from the English translation of the *Roman Missal*, © 2010, International Commission on English in the Liturgy, Inc. (ICEL); *Pastoral Care of the Sick: Rites of Anointing and Viaticum*, © 1982, (ICEL); *Rite of Penance*, © 1974, (ICEL). All rights reserved. No part of these works may be reproduced in any form without permission in writing from the copyright owner.

Excerpts and adaptations of prayers were taken from the book of *Catholic Household Blessings & Prayers*, © 2007, United States Conference of Catholic Bishops, Washington, D.C. All rights reserved. No part of the book of *Catholic Household Blessings & Prayers* may be reproduced or transmitted in any form or by any means, electronic or mechanical, including photocopying, recording, or by any information storage and retrieval system, without permission in writing from the copyright holder.

Credits
PHOTO CREDITS
p57 © Hazlan Abdul Hakim; p59 © SOMOS; p61 © Georgette Douwma/Getty Images; p63 © Terry Healy; p63 © Karen Struthers; p63 © Lisa F. Young; p63 © Aldo Murillo; p67 © The Crosiers/Gene Plaisted, OSC; p69 ©Bartolome Esteban Murillo; p69 © Hendrick Krock; p73 © Daniel Laflor; p75 © Beau Lark/Corbis; p85 © Clive Uptton/Getty Images; p91 © Exactostock; p93 © Visions of America; p99 © Debi Bishop; p99 © istockphoto; p99 © Shane Hansen; p101 © AP Photo / Archdiocese of Detroit; p105 © istockphoto; p107 © Aldo Murillo; p109 © Tony Freeman/PhotoEdit; p111 ©Andrea Solero/Pool/epa/Corbis; p111 © Justin McDonald; p113 © Bill Wittman; p113 © Bill Wittman; p113 © Bill Wittman; p115 © The Palmer; p117 © Bridgeman Art; p121 © Design Pics; p123 © Ocean/Corbis; p125 © Ariel Skelley/Blend Images/Corbis; p125 © Skip ODonnell; p125 © Catherine Yeulet; p129 © Bill Wittman; p131 © Tjanze; p133 © The Crosiers/Gene Plaisted, OSC; p137 © malerapaso; p139 © Blend images; p141 © Philippe Lissac/Godong/Corbis; p143 © Pascal Deloche/Godong/Corbis; p145 © Bill Wittman; p145 © Bill Wittman; p145 © Bill Wittman; p147 © Bill Wittman; p149 © AP Photo/Marco Ravagli; p153 © Bill Wittman; p155 © Belinda Images; p157 © istockphoto; p159 © Bridgeman Art; p161 © Corbis / Superstock; p163 © Anthony Lee/Getty Images; p165 © The Crosiers/Gene Plaisted, OSC; p169 © kali9; p171 © Flying Colours Ltd/Getty Images; p173 © Kapoor/Baldev/Sygma/Corbis; p175 © Bill Wittman; p175 © Bob Thomas; p175 © Aldo Murillo; p175 © Bob Thomas; p177 © Bill Wittman; p179 © Abel Mitza Varela/Getty Images; p181 © The Crosiers/Gene Plaisted, OSC; p185 © SOMOS Images/Alamy; p187 © Jupiter Images/Getty Images; p189 © Rembrandt Harmensz. Van Rijn/Getty Images; p193 © The Crosiers/Gene Plaisted, OSC; p195 © Erproductions Ltd/Blend Images/Corbis; p195 © Bill Wittman; p195 © Elena Elisseeva; p197 © William Thomas Cain/Getty Images; p201 © Don Hammond/Design Pics/Corbis; p203 © Bill Wittman; p205 © i love images; p207 © Simon Watson/Getty Images; p207 © Kidstock/Getty Images; p207 © Jaren Wicklund; p209 © The Crosiers/Gene Plaisted, OSC; p211 © Bill Wittman; p211 © Onoky; p215 © Ocean/Corbis; p215 © Matthew Cavanaugh/epa/Corbis; p217 © Myrleen Pearson/PhotoEdit; p219 © Tetra Images; p225 © Bill Wittman; p225 © Bill Wittman; p225 © Bill Wittman; p225 © kryczka; p227 © bojan fatur; p227 © Bill Wittman; p229 © Rob Melnychuk/Getty Images; p229 © bojan fatur; p231 © Bill Wittman; p231 © James Shaffer/PhotoEdit; p233 © Bill Wittman; p233 © Bill Wittman; p235 © Bill Wittman; p235 © Bill Wittman; p235 © Bill Wittman; p237 © Bill Wittman; p237 © Bill Wittman; p239 © James Shaffer/PhotoEdit; p239 © Bill Wittman; p239 © Bill Wittman; p241 © Pascal Deloche/Godong/Corbis; p241 © Bill Wittman; p241 © The Crosiers/Gene Plaisted, OSC; p243 © Pascal Deloche/Godong/Corbis; p243 © James Shaffer/PhotoEdit; p243 © The Crosiers/Gene Plaisted, OSC; p245 © Bill Wittman; p245 © The Crosiers/Gene Plaisted, OSC; p247 © Aldo Murillo; p247 © Linda Kloosterhof; p249 © Bill Wittman; p249 © Bill Wittman; p249 © Bill Wittman; p255 © cstar55; p257 © istockphoto; p259 © Bill Wittman; p259 © Bill Wittman; p261 © MUSA AL-SHAER/Getty Images; p261 © Bill Wittman; p263 © PDeliss/Godong/Corbis; p265 © Stock Connection; p265 © imagebroker.net; p267 © The Crosiers/Gene Plaisted, OSC; p267 © Bill Wittman; p267 © Bill Wittman; p269 © Pascal Deloche/Godong/Corbis; p269 © Bill Wittman; p275 © Aldo Murillo; p275 © Juanmonino; p277 © kryczka; p279 © Nina Shannon; p283 © The Crosiers/Gene Plaisted, OSC; p285 © Elizabeth Wolf

ILLUSTRATION CREDITS
p 9-57 © Gabhor Utomo, Represented by StoryBook Arts, Inc.; p77, 83, 95 © Gustavo Mazali

Contenido

NUESTRA *Herencia* CATÓLICA

NIVEL **II**

Our Catholic Heritage

Libro del estudiante Nivel 2
Student Edition Level 2

Peter M. Esposito
Presidente/President

Jo Rotunno
Editora/Publisher

Kate Sweeney Ristow
Autora/Author

Francisco Castillo
Redactor Principal y Especialista Multicultural
Senior Editor and Multicultural Specialist

NÍHIL ÓBSTAT
Rvdo. Mons. Robert Coerver
Censor Librorum

IMPRIMÁTUR
† Reverendísimo Kevin J. Farrell DD
Obispo de Dallas
21 de noviembre de 2011

El *Níhil Óbstat* y el *Imprimátur* son declaraciones oficiales de que el material revisado no contiene ningún error doctrinal ni moral. Dichas declaraciones no implican que quienes han otorgado el *Níhil Óbstat* y el *Imprimátur* estén de acuerdo con el contenido, las opiniones o los enunciados expresados.

Para solicitar información, diríjase a:
RCL Benziger
8805 Governor's Hill Drive, Suite 400
Cincinnati, OH 45249
Teléfono gratuito 877-275-4725 Fax 800-688-8356
Visítenos en www.RCLBenziger.com y seanmisdiscipulos.com

30812 ISBN 978-0-7829-1661 (Nivel I, Libro del estudiante)
30814 ISBN 978-0-7829-1663 (Nivel I, Guía del catequista)
30813 ISBN 978-0-7829-1662 (Nivel II, Libro del estudiante)
30815 ISBN 978-0-7829-1664 (Nivel II, Guía del catequista)

2.ª edición
Producido para RCL Benziger en Cincinnati, OH, USA.
Abril de 2017

Agradecimientos
Los fragmentos son tomados o adaptados de *La Biblia Latinoamérica* © 1972, Sociedad Bíblica Católica Internacional (SOBICAIN), Madrid, España, y son usados con permiso del propietario del copyright. Todos los derechos reservados. No se permite la reproducción de ninguna parte de *La Biblia Latinoamérica* sin el permiso por escrito del propietario del copyright.

Los fragmentos son tomados o adaptados de la traducción al español del *Misal Romano* (14.ª Edición), ©2005, Obra Nacional de la Buena Prensa (ONBP), A.C. México, D.F.; *Ritual de exequias cristianas: Vigília, Liturgia Funeral, y Rito de Sepelio*, © 2002, The Order of Saint Benedict, Collegeville, Minnesota; *Ritual de la Penitencia*, (3.ª Edición) © 2003, (ONBP). Todos los derechos reservados. No se permite la reproducción de ninguna parte de estas obras, ni por ningún método, sin el permiso por escrito del propietario del copyright.

Los fragmentos y adaptaciones de las oraciones fueron tomados de la traducción al español del libro *Compendio: Catecismo de la Iglesia Católica*, © 2006, United States Conference of Catholic Bishops, Washington, D.C.– Liberia Editrice Vaticana. Todos los derechos reservados. No se permite la reproducción o transmisión de ninguna parte de *Compendio: Catecismo de la Iglesia Católica* por ningún método, ya sea electrónico o mecánico, incluyendo fotocopiado, grabado o cualquier sistema de recuperación y almacenamiento de información, sin el permiso por escrito del propietario del copyright.

Créditos
CRÉDITOS DE FOTOGRAFÍA
p56 © Hazlan Abdul Hakim; p58 © SOMOS; p60 © Georgette Douwma/ Getty Images; p62 © Terry Healy; p62 © Karen Struthers; p62 © Lisa F. Young; p62 © Aldo Murillo; p66 © The Crosiers/Gene Plaisted, OSC; p68 ©Bartolome Esteban Murillo; p68 © Hendrick Krock; p72 © Daniel Laflor; p74 © Beau Lark/Corbis; p84 © Clive Uptton/Getty Images; p90 © Exactostock; p92 © Visions of America; p98 © Debi Bishop; p98 © istockphoto; p98 © Shane Hansen; p100 © AP Photo / Archdiocese of Detroit; p104 © istockphoto; p106 © Aldo Murillo; p108 © Tony Freeman/PhotoEdit; p110 ©Andrea Solero/Pool/epa/Corbis; p110 © Justin McDonald; p112 © Bill Wittman; p112 © Bill Wittman; p112 © Bill Wittman; p114 © The Palmer; p116 © Bridgeman Art; p120 © Design Pics; p122 © Ocean/Corbis; p124 © Ariel Skelley/Blend Images/ Corbis; p124 © Skip ODonnell; p124 © Catherine Yeulet; p128 © Bill Wittman; p130 © Tjanze; p132 © The Crosiers/Gene Plaisted, OSC; p136 © malerapaso; p138 © Blend images; p140 © Philippe Lissac/Godong/ Corbis; p142 © Pascal Deloche/Godong/Corbis; p144 © Bill Wittman; p144 © Bill Wittman; p144 © Bill Wittman; p146 © Bill Wittman; p148 © AP Photo/Marco Ravagli; p152 © Bill Wittman; p154 © Belinda Images; p156 © istockphoto; p158 © Bridgeman Art; p160 © Corbis / Superstock; p162 © Anthony Lee/Getty Images; p164 © The Crosiers/Gene Plaisted, OSC; p168 © kali9; p170 © Flying Colours Ltd/Getty Images; p172 © Kapoor/Baldev/Sygma/Corbis; p174 © Bill Wittman; p174 © Bob Thomas; p174 © Aldo Murillo; p174 © Bob Thomas; p176 © Bill Wittman; p178 © Abel Mitza Varela/Getty Images; p180 © The Crosiers/Gene Plaisted, OSC; p184 © SOMOS Images/Alamy; p186 © Jupiter Images/Getty Images; p188 © Rembrandt Harmensz. Van Rijn/Getty Images; p192 © The Crosiers/Gene Plaisted, OSC; p194 © Erproductions Ltd/Blend Images/ Corbis; p194 © Bill Wittman; p194 © Elena Elisseeva; p196 © William Thomas Cain/Getty Images; p200 © Don Hammond/Design Pics/Corbis; p202 © Bill Wittman; p204 © i love images; p206 © Simon Watson/Getty Images; p206 © Kidstock/Getty Images; p206 © Jaren Wicklund; p208 © The Crosiers/Gene Plaisted, OSC; p210 © Bill Wittman; p210 © Onoky; p214 © Ocean/Corbis; p214 © Matthew Cavanaugh/epa/Corbis; p216 © Myrleen Pearson/PhotoEdit; p218 © Tetra Images; p224 © Bill Wittman; p224 © Bill Wittman; p224 © Bill Wittman; p224 © kryczka; p226 © bojan fatur; p226 © Bill Wittman; p228 © Rob Melnychuk/Getty Images; p228 © bojan fatur; p230 © Bill Wittman; p230 © James Shaffer/PhotoEdit; p232 © Bill Wittman; p232 © Bill Wittman; p234 © Bill Wittman; p234 © Bill Wittman; p234 © Bill Wittman; p236 © Bill Wittman; p236 © Bill Wittman; p238 © James Shaffer/PhotoEdit; p238 © Bill Wittman; p238 © Bill Wittman; p240 © Pascal Deloche/Godong/Corbis; p240 © Bill Wittman; p240 © The Crosiers/Gene Plaisted, OSC; p242 © Pascal Deloche/Godong/Corbis; p242 © James Shaffer/PhotoEdit; p242 © The Crosiers/Gene Plaisted, OSC; p244 © Bill Wittman; p244 © The Crosiers/ Gene Plaisted, OSC; p246 © Aldo Murillo; p246 © Linda Kloosterhof; p248 © Bill Wittman; p248 © Bill Wittman; p248 © Bill Wittman; p254 © cstar55; p256 © istockphoto; p258 © Bill Wittman; p258 © Bill Wittman; p260 © MUSA AL-SHAER/Getty Images; p260 © Bill Wittman; p262 © PDeliss/Godong/Corbis; p264 © Stock Connection; p264 © imagebroker. net; p266 © The Crosiers/Gene Plaisted, OSC; p266 © Bill Wittman; p266 © Bill Wittman; p268 © Pascal Deloche/Godong/Corbis; p268 © Bill Wittman; p274 © Aldo Murillo; p274 © Juanmonino; p276 © kryczka; p278 © Nina Shannon; p282 © The Crosiers/Gene Plaisted, OSC; p284 © Elizabeth Wolf

CRÉDITOS DE ILUSTRACIONES
p 8-56 © Gabhor Utomo, Represented by StoryBook Arts, Inc.; p76, 82, 94 © Gustavo Mazali

Table of Contents

Cómo usar la Biblia

La Biblia es una colección de 73 libros. Cada libro está dividido en capítulos numerados. Cada capítulo tiene versículos numerados. Muchos versículos incluyen más de una oración. Este es un ejemplo del Evangelio de Lucas:

Libro	Capítulo	Versículo
Lucas	15:	8-10

Ubica el Evangelio de Lucas usando la tabla de contenidos de tu Biblia. Luego ve al capítulo 15 del Evangelio de Lucas.

El número que aparece después de los dos puntos (8-10) remite al versículo del capítulo (15). Algunos pasajes de la Sagrada Escritura contienen más de un versículo. En ese caso, verás un guión entre los versículos enumerados. Por ejemplo, Lucas 15:8–10.

Busca los siguientes pasajes de la Sagrada Escritura. En cada renglón, escribe el título del relato de la Biblia.

1. Mateo 5:13–16

    _____

2. Marcos 1:9–11

    _____

3. Lucas 5:12–16

    _____

4. Juan 13:31–35

    _____

Using the Bible

The Bible is a collection of 73 books. Each book has been divided into numbered chapters. Each chapter has numbered verses. Many verses include more than one sentence. Here is an example from the Gospel of Luke:

Book	Chapter	Verse
Luke	15:	8-10

Locate the Gospel of Luke using the table of contents in your Bible. Then turn to chapter 15 in Luke's Gospel.

The number after the colon (8-10) refers to the verse in the chapter (15). Some Scripture passages contain more than one verse. In that case, you will see a dash between the verses listed. For example, Luke 15: 8–10.

Look up the following Scripture passages. On each line, write the title of the Bible story.

1. Matthew 5:13–16

_____

2. Mark 1:9–11

_____

3. Luke 5:12–16

_____

4. John 13:31–35

_____

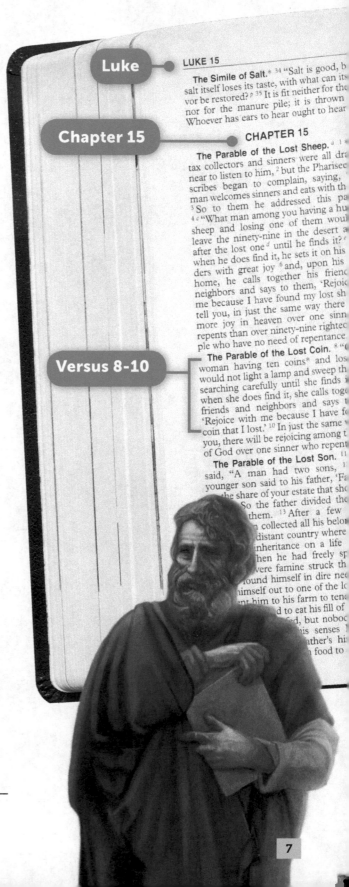

Luke

LUKE 15

The Simile of Salt.* ³⁴ "Salt is good, b salt itself loses its taste, with what can its vor be restored? ᵖ ³⁵ It is fit neither for the nor for the manure pile; it is thrown n Whoever has ears to hear ought to hear

Chapter 15

CHAPTER 15

The Parable of the Lost Sheep. ᵈ ¹ * tax collectors and sinners were all dra near to listen to him, ² but the Pharisee scribes began to complain, saying, man welcomes sinners and eats with th ³ So to them he addressed this pa ⁴ "What man among you having a hu sheep and losing one of them woul leave the ninety-nine in the desert a after the lost one ᵈ until he finds it? ⁵ when he does find it, he sets it on his ders with great joy ⁶ and, upon his home, he calls together his frienc neighbors and says to them, 'Rejoic me because I have found my lost sh tell you, in just the same way there more joy in heaven over one sinn repents than over ninety-nine righteo ple who have no need of repentance

Versus 8-10

The Parable of the Lost Coin. ⁸ "O woman having ten coins* and los would not light a lamp and sweep th searching carefully until she finds i when she does find it, she calls toge friends and neighbors and says t 'Rejoice with me because I have fo coin that I lost.' ¹⁰ In just the same w you, there will be rejoicing among t of God over one sinner who repent

The Parable of the Lost Son. ¹¹ said, "A man had two sons, ¹ younger son said to his father, 'Fa the share of your estate that sho So the father divided the them. ¹³ After a few collected all his belon distant country where inheritance on a life hen he had freely sp were famine struck th found himself in dire nee himself out to one of the lc nt him to his farm to tenc d to eat his fill of d, but noboc his senses ather's hi food to

La vida de Jesús

Esta sección incluye pasajes de la Biblia, o Sagrada Escritura, a través de la cual Dios nos ha revelado la plenitud de su verdad. La Sagrada Escritura nos enseña a conocer, amar y servir a Dios. Los pasajes de esta sección provienen de los cuatro Evangelios. Están en la segunda parte de la Biblia, llamada Nuevo Testamento. La palabra evangelio significa "buena nueva". En la Biblia hay cuatro Evangelios. Estos relatos del Evangelio son una buena nueva porque cuentan la historia de Jesús, el único Hijo de Dios. Jesús se hizo hombre para salvarnos del pecado y para darnos vida eterna.

En estos relatos, encontrarás al Jesús vivo. Descubrirás por qué Dios Padre envió a su único Hijo, Jesús, para que nos salvara. Leerás sobre algunos de los grandes actos que Jesús hizo para ayudar a las personas a creer en Dios y aceptar su amor. Descubrirás cómo Jesús enseñó a sus discípulos a amar a los demás como Dios nos ama. El Evangelio es una nueva emocionante porque se la sigue anunciando hoy en la Iglesia y a través de ella.

Cuando leas sobre la vida de Jesús, imagina que eres un testigo de esos acontecimientos. Jesús te habla a través de estos relatos.

Te está invitando a creer en Él.

Está diciendo:

"Sé mi discípulo".

The Life of Jesus

This section includes passages from the Bible, or Sacred Scripture through which God has revealed the fullness of his truth to us. Sacred Scripture teaches us how to know, love, and serve God. The passages in this section come from the four Gospels. They are in the second part of the Bible, called the New Testament. The word *gospel* means "good news." There are four Gospels in the Bible. These Gospel stories are good news because they tell the story of Jesus, the only Son of God. Jesus became man to save us from sin and to bring us eternal life.

In these stories, you will encounter the living Jesus. You will discover why God the Father sent his only Son, Jesus, to save us. You will read about some of the great deeds Jesus did to help people believe in God and accept his love. You will discover how Jesus taught his disciples how to love others as God loves us. The Gospel is exciting news because it continues to be announced today in and through the Church.

As you read about the life of Jesus, imagine that you are an eyewitness to these events. Jesus is speaking to you through these stories. He is inviting you to believe in him. He is saying, "Be my disciple."

El camino a Emaús

Los acontecimientos de este relato sucedieron después de la muerte de Jesús. En el relato, dos seguidores de Jesús estaban en plena conversación sobre Él. Sus mentes recordaban todo lo que Jesús había dicho y hecho antes de morir. Con ellos, descubrirás muchas cosas sobre Jesús.

Dos de los discípulos de Jesús iban por el camino que va desde Jerusalén hasta la aldea de Emaús. Ambos se sentían tristes después de la muerte de Jesús, ocurrida tres días antes. No entendían que la muerte de Jesús formaba parte del plan de Dios de Salvación para todas las personas. Solo sabían que a su amado maestro y amigo lo habían ejecutado injustamente.

Mientras caminaban, se les unió un forastero. El forastero les preguntó por qué estaban tan apenados.

Uno de los discípulos, llamado Cleofás, le preguntó: "¿Eres tú el único peregrino en Jerusalén que no sabe lo que sucedió aquí en los últimos tres días?"

Le dijeron al forastero: "Somos seguidores de Jesús de Nazaret. Él dijo e hizo cosas poderosas que agradaban a Dios y a todas las personas. Pero nuestros líderes lo arrestaron y lo sentenciaron a morir en una cruz. Nosotros esperábamos que Dios lo hubiera mandado para salvarnos."

Luego los discípulos dijeron: "Ya pasaron tres días desde su muerte. Algunas mujeres de nuestro grupo fueron a su sepulcro esta mañana. Pero no encontraron su cuerpo.

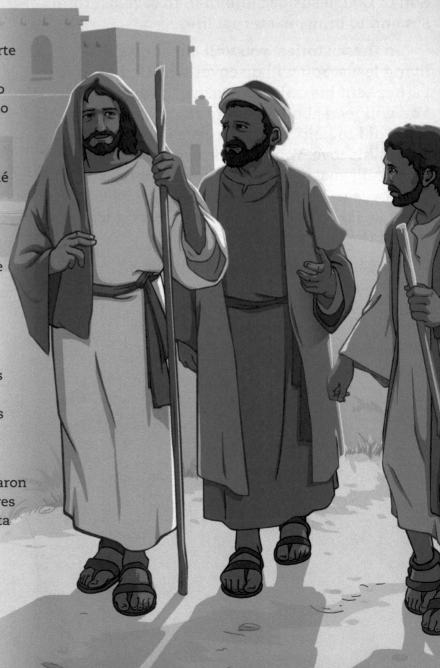

Ellas dijeron que vieron a unos ángeles que les contaron que Jesús estaba vivo. Luego, algunos de los hombres de nuestro grupo fueron al sepulcro, pero tampoco vieron a Jesús."

El forastero dijo: "¿Por qué no pueden entender lo que los profetas enseñaron hace tanto tiempo? ¿No sabían que el Mesías debía sufrir y morir antes de recibir su gloria?"

Luego, el forastero los ayudó a entender todo lo que estaba escrito sobre Jesús en la Sagrada Escritura.

Así llegaron cerca de la aldea de Emaús. "Quédate con nosotros, ya es casi de noche", dijeron los discípulos al forastero. Así que él fue a la casa con ellos.

Cuando estaban todos sentados para comer, el forastero tomó el pan, lo bendijo, lo partió y lo dio a los discípulos. ¡Inmediatamente, los dos discípulos reconocieron que el forastero era Jesús Resucitado! Luego Jesús desapareció delante de sus ojos.

Se dijeron el uno al otro: "¿No sentíamos arder nuestro corazón cuando nos explicaba las Escrituras?" Regresaron rápidamente a Jerusalén para contarles a los Apóstoles que habían visto al Señor Resucitado.

BASADO EN LUCAS 24:13–35

? ¿Cómo reconocerías a Jesús en el mundo de hoy?

The Road to Emmaus

The events in this story occurred after the death of Jesus. In the story, two followers of Jesus are deep in conversation about him. Their minds flash back to all that Jesus said and did before he died. With them, you will discover many things about Jesus.

Two of Jesus' disciples were walking along the road from Jerusalem to the village of Emmaus. Both were feeling sad after the death of Jesus three days earlier. They did not understand that Jesus' death was part of God's plan of Salvation for all people. They only knew that their beloved teacher and friend had been unjustly put to death.

As they walked, a stranger joined them. The stranger asked them why they were so upset.

One of the disciples, named Cleopas, asked him, "Are you the only visitor to Jerusalem who does not know what happened there in the last three days?"

They told the stranger, "We are followers of Jesus from Nazareth. He said and did powerful things that pleased God and all the people. But he was arrested by our leaders and sentenced to suffer death on a cross. We were hoping that he had been sent by God to save us."

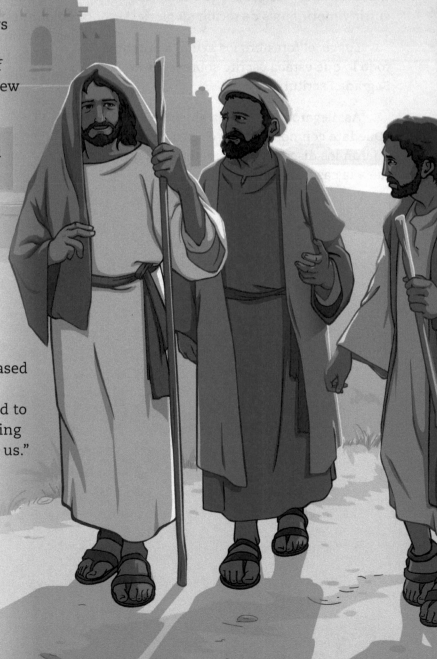

Then the disciples said, "This is the third day since he died. Some women in our group went to his tomb this morning. But they did not find his body. They said they saw angels who told them that Jesus was alive. Then some of the men from our group went to the tomb, but they did not see Jesus either."

The stranger said, "Why can't you understand what the prophets of long ago taught? Didn't you know that the Messiah must suffer and die before given his glory?"

The stranger then helped them to understand everything that had been written about Jesus in the Scriptures.

By now they were near the village of Emmaus. "Stay with us, it is nearly evening," the disciples said to the stranger. So he went into the house with them.

When they all sat down to eat, the stranger took bread, blessed it, broke it, and gave it to the disciples. Immediately, the two disciples recognized that the stranger was the Risen Jesus! Then Jesus vanished before their eyes.

They said to each other, "Were not our hearts burning within us while he explained the Scriptures to us?" They quickly returned to Jerusalem to tell the Apostles that they had seen the Risen Lord.

BASED ON LUKE 24:13–35

? How might you recognize Jesus in the world today?

Se inicia la historia de Jesús

La Anunciación

Anunciación significa anuncio. La historia de la vida de Jesús empieza con el anuncio a María de que sería la madre de Jesús.

Dios envió al ángel Gabriel a la Santísima Virgen María, una joven que vivía en el pueblo de Nazaret. El ángel saludó a María, diciendo: "¡Alégrate, María! El Señor está contigo. No temas. El Espíritu Santo descenderá sobre ti y darás a luz a un hijo. Lo llamarás Jesús."

María no comprendía cómo sería posible, pero el ángel le dijo que nada era imposible para Dios. María dijo que sí al pedido de Dios. Dijo: "Yo soy la servidora del Señor, hágase en mí tal como has dicho."

BASADO EN LUCAS 1:26–38

El anuncio a José

José estaba comprometido con María, pero antes de su boda, ella supo que iba a tener un bebé. El Señor envió un ángel a José. El ángel le dio a José un mensaje de Dios en un sueño.

El ángel dijo: "José, el bebé que María tendrá viene del Espíritu Santo. Cásate con ella. Pronto tendrá un hijo. Llámalo Jesús, porque él salvará al pueblo de sus pecados."

Cuando José se despertó, hizo lo que el ángel dijo. Él y María se convirtieron en marido y mujer, y esperaron el nacimiento de su hijo.

BASADO EN MATEO 1:18–25

 ¿Qué tres cosas sorprendentes leíste en estos relatos?

El nacimiento de Jesús

El relato del nacimiento de Jesús es uno de los relatos más conocidos de la Biblia.

José y María tuvieron que viajar desde Nazaret hasta Belén para registrarse en el pueblo natal de la familia de José. Mientras estaban en Belén, llegó el momento de que naciera el bebé de María.

El pueblo estaba tan lleno de gente que no había lugar para María y José en ninguna de las posadas. Por esto, Jesús nació en un establo. María lo envolvió en pañales y lo acostó en un pesebre.

Lejos, en el campo, unos pastores estaban cuidando sus rebaños. Un ángel se les apareció y les dijo: "No tengan miedo.

Les traigo una buena nueva de mucha alegría para todo el pueblo. Hoy ha nacido un salvador para ustedes. Es el Mesías y el Señor. Lo encontrarán acostado en un pesebre."

De pronto, el cielo se llenó de ángeles, que alababan a Dios y decían: "¡Gloria a Dios en lo más alto del cielo y paz a su pueblo en la Tierra!"

Los pastores se dijeron unos a otros: "Vayamos hasta Belén para ver lo que ha sucedido." Fueron apresuradamente y encontraron a María y a José, y al niño Jesús acostado en el pesebre. Luego, los pastores regresaron, alabando a Dios por todo lo que habían visto y oído.

BASADO EN LUCAS 2:1–20

? Si fueras uno de los pastores, ¿cómo hubieras respondido?

Jesus' Story Begins

The Annunciation

Annunciation means announcement. The story of Jesus' life begins with the announcement to Mary that she would be Jesus' mother.

God sent the angel Gabriel to the Blessed Virgin Mary, a young woman who lived in the town of Nazareth. The angel greeted Mary, saying "Hail, Mary! The Lord is with you. Do not be afraid. The Holy Spirit will come upon you and you will give birth to a son. You shall name him Jesus."

Mary did not understand how this could be, but the angel told her that nothing was impossible for God. Mary said yes to God's request. She said, "Behold, I am the handmaid of the Lord. Let it be done to me according to your word."

BASED ON LUKE 1:26–38

The Announcement to Joseph

Joseph was engaged to Mary, but before their wedding she learned that she was going to have a baby. The Lord sent an angel to Joseph. The angel gave Joseph a message from God in a dream.

The angel said, "Joseph, the baby that Mary will have is from the Holy Spirit. Marry her. She will have a son. Name him Jesus, because he will save people from their sins."

When Joseph woke up, he did what the angel said. He and Mary became husband and wife and waited for their son to be born.

BASED ON MATTHEW 1:18–25

 What are three amazing things that you read in these stories?

The Birth of Jesus

The story of Jesus' birth is one of the best known stories in the Bible.

Joseph and Mary had to travel from Nazareth to Bethlehem to register in the hometown of Joseph's family. While they were in Bethlehem, the time came for Mary's baby to be born.

The town was so crowded with people that there was no room for Mary and Joseph at any of the inns. So Jesus was born in a stable. Mary wrapped him in swaddling clothes and laid him in a manger.

Out in the fields, shepherds were tending their flocks. An angel appeared to them and said, "Do not be afraid. I bring you good news of great joy for all people. Today a Savior has been born for you. He is Messiah and Lord. You will find him lying in a manger."

Suddenly the heavens were filled with angels, praising God and saying, "Glory to God in the highest and peace to his people on earth!"

The shepherds said to one another, "Let us go to Bethlehem to see what has happened." They hurried away and found Mary and Joseph, and the baby Jesus lying in the manger. Then the shepherds returned, praising God for all they had seen and heard.

BASED ON LUKE 2:1–20

? If you were one of the shepherds, how would you have responded?

El bautismo de Jesús

Los Evangelios nos cuentan que Jesús creció en Nazaret. Era un hijo bueno y obediente con María y José. Con los años, creció en edad y sabiduría.

Cuando Jesús tenía unos treinta años, dejó Nazaret para empezar la obra que su Padre lo envió a hacer. Jesús fue al río Jordán para que lo bautizara Juan Bautista. Juan bautizaba a las personas y les decía que se arrepintieran de sus pecados. Juan preparaba a las personas para la venida del Mesías, el Salvador que Dios prometió enviar.

Cuando Jesús se acercó, Juan le dijo: "Tú deberías bautizarme a mí." Jesús contestó: "Está bien, porque debemos cumplir el plan de Dios."

Jesús permitió que Juan lo bautizara. Cuando Jesús salió del agua, los cielos se abrieron. Y el Espíritu Santo descendió sobre Jesús en forma de paloma. Una voz del cielo dijo: "Este es mi Hijo, el Amado; en él me complazco."

BASADO EN MATEO 3:13–17

? ¿Cómo habrías reaccionado al ser testigo del bautismo de Jesús?

Se inicia el ministerio de Jesús

Después de su Bautismo, Jesús empezó a predicar acerca de Dios. Frecuentemente enseñaba en las sinagogas, donde los judíos se reunían para estudiar la Sagrada Escritura y para rezar.

[Jesús] llegó a Nazaret, donde se había criado, y el sábado fue a la sinagoga, como era su costumbre. Se puso de pie para hacer la lectura, y le pasaron el rollo del libro del profeta Isaías. Jesús desenrolló el libro y encontró el pasaje donde estaba escrito:

El Espíritu del Señor está sobre mí.
Él me ha ungido para llevar
  buenas nuevas a los pobres,

para anunciar la libertad a los cautivos

y a los ciegos que pronto van a ver,
para despedir libres a los oprimidos

y proclamar el año de
gracia del Señor.

Jesús entonces enrolló el libro, lo devolvió al ayudante y se sentó, mientras todos los presentes tenían los ojos fijos en él. Y empezó a decirles: "Hoy les llegan noticias de cómo se cumplen estas palabras proféticas."

Lucas 4:14–35

? ¿Qué es lo que crees que Jesús quería que comprendieran las personas que estaban en la sinagoga?

The Baptism of Jesus

The Gospels tell us that Jesus grew up in Nazareth. He was a good and obedient son to Mary and Joseph. Over the years, he grew in age and wisdom.

When Jesus was about thirty years old, he left Nazareth to begin the work his Father sent him to do. Jesus went to the Jordan River to be baptized by John the Baptist. John baptized people and told them to repent for their sins. John prepared people for the coming of the Messiah, the Savior God promised to send.

When Jesus approached John, John said, "You should baptize me." Jesus replied, "It is all right, we are to fulfill God's plan."

Jesus allowed John to baptize him. When Jesus came up from the water, the heavens opened. And the Holy Spirit descended upon Jesus in the form of a dove. A voice from the heavens said, "This is my beloved Son, with whom I am well pleased."

BASED ON MATTHEW 3:13–17

? How would you have reacted to witnessing Jesus' baptism?

Jesus' Ministry Begins

After his Baptism, Jesus began to preach about God. Often he taught in the synagogues, where the Jewish people gathered to study the Scriptures and to pray.

[Jesus] came to Nazareth, where he had grown up, and went according to his custom into the synagogue on the sabbath day. He stood up to read and was handed a scroll of the prophet Isaiah. He unrolled the scroll and found the passage where it was written:

> "The Spirit of the Lord is upon me,
>   because he has anointed me
>   to bring glad tidings to the poor.
> He has sent me to proclaim liberty
>   to captives
> and recovery of sight to the blind,
>   to let the oppressed go free,
> and to proclaim a year acceptable
>   to the Lord."

Rolling up the scroll, he handed it back to the attendant and sat down, and the eyes of all in the synagogue looked intently at him. He said to them, "Today this scripture passage is fulfilled in your hearing."

LUKE 4:16–21

What do you think Jesus wanted the people in the synagogue to understand?

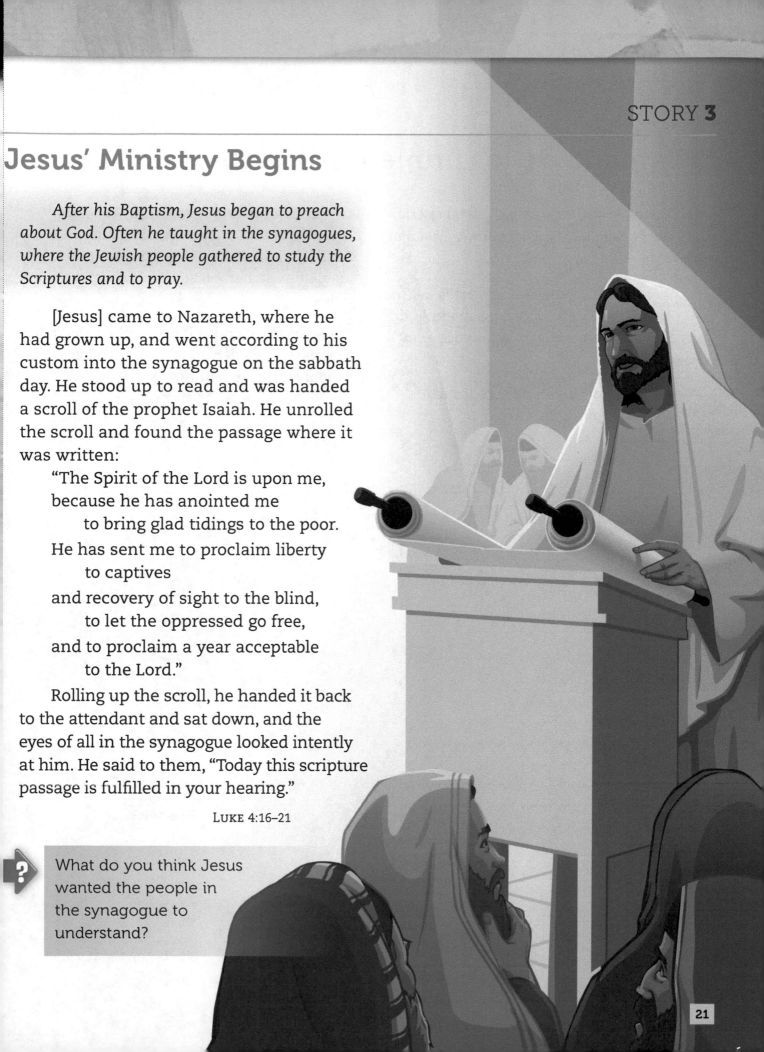

El llamado de los primeros discípulos

Después de que Jesús empezó su ministerio, invitó a otros para que lo siguieran y lo ayudaran con su obra.

Mientras Jesús pasaba por la orilla del mar de Galilea, vio a Simón y a su hermano Andrés que echaban las redes en el mar, pues eran pescadores.

Jesús les dijo: "Síganme y yo los haré pescadores de hombres."

Y de inmediato dejaron sus redes y le siguieron. Un poco más allá Jesús vio a Santiago, hijo de Zebedeo, con su hermano Juan, que estaban en su barca arreglando las redes.

Jesús también los llamó, y ellos, dejando a su padre Zebedeo en la barca con los ayudantes, lo siguieron.

MARCOS 1:16–20

? Si Jesús te hubiera llamado, ¿cómo habrías respondido?

Los doce Apóstoles

Jesús eligió a doce hombres de entre sus seguidores para que cumplieran un papel especial. Se los llama Apóstoles.

En aquellos días se fue a orar a un cerro y pasó toda la noche en oración con Dios. Al llegar el día llamó a sus discípulos y escogió a doce de ellos, a los que llamó apóstoles: Simón, al que le dio el nombre de Pedro, y su hermano Andrés, Santiago, Juan, Felipe, Bartolomé, Mateo, Tomás, Santiago, hijo de Alfeo, Simón, apodado Zelote, Judas, hermano de Santiago, y Judas Iscariote, que fue el traidor.

LUCAS 6:12–16

Jesús envió a los Apóstoles a predicar y a obrar en su nombre. Fueron de aldea en aldea proclamando la buena nueva y curando a los enfermos.

? ¿Por qué crees que Jesús rezó antes de elegir a sus Apóstoles?

The Call of the First Disciples

After Jesus began his ministry, he invited others to follow him and help him with his work.

As [Jesus] passed by the Sea of Galilee, he saw Simon and his brother Andrew casting their nets into the sea; they were fishermen.

Jesus said to them, "Come after me, and I will make you fishers of men."

Then they abandoned their nets and followed him. [Jesus] walked along a little farther and saw James, the son of Zebedee, and his brother John. They too were in a boat mending their nets.

Then [Jesus] called them. So they left their father Zebedee in the boat along with the hired men and followed [Jesus].

MARK 1:16–20

If Jesus called you, how would you respond?

The Twelve Apostles

Jesus chose twelve men from among his followers to serve in a special role. They are called the Apostles.

In those days he departed to the mountain to pray, and he spent the night in prayer to God. When day came, he called his disciples to himself, and from them he chose Twelve, whom he also named apostles: Simon, whom he named Peter, and his brother Andrew, James, John, Philip, Bartholomew, Matthew, Thomas, James the son of Alphaeus, Simon who was called a Zealot, and Judas the son of James, and Judas Iscariot, who became a traitor.

LUKE 6:12–16

Jesus sent the Apostles out to preach and to work in his name. They went from village to village proclaiming the good news and curing the sick.

? Why do you think Jesus prayed before choosing his Apostles?

25

Jesús cura a una mujer y a la hija de Jairo

Jesús realizó muchos milagros durante su vida terrenal. Un milagro es un signo del poder y de la presencia de Dios en acción en el mundo. Jesús realizó estas maravillosas acciones para invitar a sus seguidores a creer y a confiar en Dios. En este relato, leerás cómo la fe tuvo un papel importante en los milagros de curación de Jesús.

En esto se presentó un hombre, llamado Jairo, que era dirigente de la sinagoga. Cayendo a los pies de Jesús, le suplicaba que fuera a su casa, porque su hija única, de unos doce años, se estaba muriendo. Y Jesús se dirigió a la casa de Jairo, rodeado de un gentío que casi lo sofocaba. Entonces una mujer, que padecía hemorragias desde hacía doce años y a la que nadie había podido curar, se acercó por detrás y tocó el fleco de su manto. Al instante se le detuvo el derrame. Jesús preguntó: "¿Quién me ha tocado?" Como todos decían: "Yo, no", Pedro

le replicó: "Maestro, es toda esta multitud que te rodea y te oprime." Pero Jesús le dijo: "Alguien me ha tocado, pues he sentido que una fuerza ha salido de mí." La mujer, al verse descubierta, se presentó temblando y se echó a los pies de Jesús. Después contó delante de todos por qué lo había tocado y cómo había quedado instantáneamente sana. Jesús le dijo: "Hija, tu fe te ha salvado; vete en paz."

Estaba aún Jesús hablando, cuando alguien vino a decir al dirigente de la sinagoga: "Tu hija ha muerto; no tienes por qué molestar más al Maestro." Jesús lo oyó y dijo al dirigente: "No temas: basta que creas, y tu hija se salvará." Al llegar a la casa, no permitió entrar con él más que a Pedro, Juan y Santiago y al padre y la madre de la niña.

Los demás se lamentaban y lloraban en voz alta, pero Jesús les dijo: "No lloren; la niña no está muerta, sino dormida."

¿En qué se parecen estos dos relatos? ¿Qué quiere Jesús que comprendamos en estos dos milagros?

Pero la gente se burlaba de él, pues sabían que estaba muerta. Jesús la tomó de la mano y le dijo: "Niña, levántate." Le volvió su espíritu; al instante se levantó, y Jesús insistió en que le dieran de comer.

LUCAS 8:41-55

Jesus Heals a Woman and Jairus' Daughter

Jesus worked many miracles during his earthly life. A miracle is a sign of God's presence and power at work in the world. Jesus performed these great deeds to invite his followers to believe and trust in God. In this account you will read how faith played an important role in the healing miracles of Jesus.

[A] man named Jairus, an official of the synagogue, came forward. He fell at the feet of Jesus and begged him to come to his house, because he had an only daughter, about twelve years old, and she was dying. As he went, the crowds almost crushed him. And a woman afflicted with hemorrhages for twelve years, who [had spent her whole livelihood on doctors and] was unable to be cured by anyone, came up behind him and touched the tassel on his cloak. Immediately her bleeding stopped. Jesus then asked, "Who touched me?" While all were denying it, Peter said, "Master, the crowds are pushing and pressing in upon you." But Jesus said, "Someone touched me; for I know that power has gone out from me." When the woman realized that she had not escaped notice, she came forward trembling. Falling down before him, she explained in the presence of all the people why she had touched him and how she had been healed immediately. He said to her, "Daughter, your faith has saved you; go in peace."

While he was still speaking, someone from the synagogue official's house arrived and said, "Your daughter is dead; do not trouble the teacher any longer." On hearing this, Jesus answered him, "Do not be afraid; just have faith and she will be saved." When he arrived at the house he allowed no one to enter with him except Peter and John and James, and the child's father and mother. All were weeping and mourning for her, when he said, "Do not weep any longer, for she is not dead, but sleeping."

What is similar about these two stories? What does Jesus want us to understand in these two miracles?

And they ridiculed him, because they knew that she was dead. But he took her by the hand and called to her, "Child, arise!" Her breath returned and she immediately arose. He then directed that she should be given something to eat.

LUKE 8:41-55

El hijo pródigo

Los discípulos de Jesús lo llamaban "Maestro" como señal de honor y respeto, y porque Él enseñaba con autoridad. Una de las maneras en que Jesús enseñaba a sus seguidores era mediante el uso de relatos llamados parábolas. Una parábola usa acontecimientos u objetos cotidianos para enseñar una lección importante. Un día, Jesús contó esta parábola.

Un hombre tenía dos hijos. El hijo menor dijo a su padre: "Padre, dame la parte del dinero familiar que me corresponde." Entonces, el padre dividió la propiedad entre sus hijos. Unos días después, el hijo menor reunió sus pertenencias y partió a un país lejano. Gastó tontamente todo su dinero. Ni siquiera le quedó dinero para comprarse alimento.

El hijo se puso a trabajar cuidando cerdos en una granja. Tenía tanta hambre que deseaba comer la comida de los cerdos. Finalmente, recapacitó. Se dijo: "Los trabajadores de mi padre tienen más que suficiente para comer, y yo estoy aquí, muriéndome de hambre. Debo ir a la casa de mi padre y decir: Padre, he pecado contra Dios y contra ti. Ya no merezco ser llamado hijo tuyo. Trátame como a uno de tus trabajadores." Entonces, se levantó y se fue a la casa de su padre.

Aunque aún estaba lejos, su padre lo divisó y se llenó de compasión. Corrió hacia su hijo, lo abrazó y lo besó. El hijo le dijo: "Padre, he pecado contra Dios y contra ti. Ya no merezco ser llamado hijo tuyo."

El padre ordenó a sus sirvientes: "Rápido, traigan el vestido más delicado y pónganselo. Pónganle un anillo en el dedo y sandalias en los pies. Traigan el ternero gordo y mátenlo. ¡Celebremos con una fiesta! Este hijo mío estaba muerto y ha vuelto a la vida. Estaba perdido y lo hemos encontrado."

El hijo mayor oyó acerca de la fiesta por el hermano que había regresado. Se enojó, pensando en lo injusto que era eso. Así que se negó a participar.

El padre fue hasta donde estaba su hijo mayor y le suplicó para que estuviera contento. Le dijo: "Hijo, tú estás siempre conmigo y todo lo mío es tuyo. Pero ahora es momento de alegrarse porque tu hermano estaba muerto y ha vuelto a la vida. Estaba perdido y lo hemos encontrado."

BASADO EN LUCAS 15:11–32

 ¿Por qué crees que cada uno de los hermanos actuó de esa manera?

The Forgiving Father

Jesus' disciples called him "Teacher" as a sign of honor and respect, and because he taught with authority. One of the ways Jesus taught his followers was by using stories called parables. A parable uses everyday events or objects to teach an important lesson. One day, Jesus told this parable.

A man had two sons. The younger son said to his father, "Father, give me my share of our family money." So the father divided the property between his sons. After a few days, the younger son collected his belongings and set off to a distant country. He foolishly wasted all of his money. He did not even have money left to buy food for himself.

The son took a job tending pigs on a farm. The son was so hungry that he longed to eat the pigs' food. Finally, he came to his senses. He said to himself, "My father's workers have more than enough to eat, and here I am, dying from hunger. I shall go to my father's house and say, 'Father, I have sinned against heaven and against you. I no longer deserve to be called your son. Treat me as you would treat one of your workers.'" He got up then and went home to his father.

While he was still a long way off, his father caught sight of him and was filled with compassion. He ran to his son, embraced him and kissed him. The son said to him, "Father, I have sinned against heaven and against you. I no longer deserve to be called your son."

The father ordered his servants, "Quickly, bring the finest robe and put it on him. Put a ring on his finger and sandals on his feet. Take the fattened calf and slaughter it. Let us celebrate with a feast! This son of mine was dead and has come to life again. He was lost and has been found."

The older son heard about the party for his returning brother. He became angry, thinking how unfair this was. So he refused to be a part of it.

The father went to his oldest son, and pleaded with him to be happy. He said to him, "My son, you are here with me always; everything I have is yours. Now is the time to rejoice because your brother was dead and has come to life again. He was lost and has been found."

BASED ON LUKE 15:11–32

 Why do you think each of the sons acted as they did?

El buen samaritano

Jesús resumió los Diez Mandamientos al enseñar el Gran Mandamiento: Amarás a Dios con todo tu corazón, con toda tu alma y con toda tu mente; y amarás a tu prójimo como a ti mismo. Un día, un experto en Ley judía le preguntó a Jesús acerca de quién era su prójimo. Jesús respondió contando esta parábola.

El otro [un maestro de la Ley], que quería justificar su pregunta, replicó: "¿Y quién es mi prójimo?"

Jesús empezó a decir: "Bajaba un hombre por el camino de Jerusalén a Jericó y cayó en manos de unos bandidos, que lo despojaron hasta de sus ropas, lo golpearon y se marcharon dejándolo medio muerto.

Por casualidad bajaba por ese camino un sacerdote; lo vio, tomó el otro lado y siguió.

Lo mismo hizo un levita que llegó a ese lugar: lo vio, tomó el otro lado y pasó de largo.

Un samaritano también pasó por aquel camino y lo vio; pero este se compadeció de él. Se acercó, curó sus heridas con aceite y vino y se las vendó; después lo montó sobre el animal que traía, lo condujo a una posada y se encargó de cuidarlo.

Al día siguiente, sacó dos monedas y se las dio al posadero diciéndole: 'Cuídalo, y si gastas más, yo te lo pagaré a mi vuelta'."

Jesús entonces le preguntó: "Según tu parecer, ¿cuál de estos tres fue el prójimo del hombre que cayó en manos de los salteadores?"

El maestro de la Ley contestó: "El que se mostró compasivo con él." Y Jesús le dijo: "Vete y haz tú lo mismo."

Lucas 10:29–37

? ¿Cuándo has ayudado a alguien necesitado?

The Good Samaritan

Jesus summed up the Ten Commandments by teaching the Great Commandment: You must love God with all your heart, with all your soul, and with all your mind; and you shall love your neighbor as yourself. One day an expert in Jewish law asked Jesus about who his neighbor is. Jesus responded by telling this parable.

But because he [a scholar of Jewish law] wished to justify himself, he said to Jesus, "And who is my neighbor?"

Jesus replied, "A man fell victim to robbers as he went down from Jerusalem to Jericho. They stripped and beat him and went off leaving him half-dead.

A priest happened to be going down that road, but when he saw him, he passed by on the opposite side.

Likewise a Levite came to the place, and when he saw him, he passed by on the opposite side.

But a Samaritan traveler who came upon him was moved with compassion at the sight. He approached the victim, poured oil and wine over his wounds and bandaged them. Then he lifted him up on his own animal, took him to an inn and cared for him.

The next day he took out two silver coins and gave them to the innkeeper with the instruction, 'Take care of him. If you spend more than what I have given you, I shall repay you on my way back.'

Which of these three, in your opinion, was neighbor to the robbers' victim?"

He answered, "The one who treated him with mercy." Jesus said to him, "Go and do likewise."

LUKE 10:29–37

When have you helped someone in need?

Parábola del Reino

Jesús proclamó el Reino de Dios a través de su ministerio. El Reino de Dios es el reino, o gobierno, del amor, la justicia y la paz eternos de Dios. Jesús enseñó acerca del Reino a través de parábolas para ayudarnos a anticipar el gozo que vendrá en el Reino. Sus parábolas también ayudaron a sus seguidores a reflexionar y a prepararse para la venida del Reino.

[Jesús dijo a sus discípulos]: "Aquí tienen una figura del Reino de los Cielos. Un hombre sembró buena semilla en su campo, pero mientras la gente estaba durmiendo, vino su enemigo y sembró malas hierbas en medio del trigo y se fue. Cuando el trigo creció y empezó a echar espigas, apareció también la maleza. Entonces los trabajadores fueron a decirle al patrón: "Señor, ¿no sembraste buena semilla en tu campo? ¿De dónde, pues, viene esa maleza?" Respondió el patrón: "Eso es obra de un enemigo."

Los obreros le preguntaron: "¿Quieres que arranquemos la maleza?" "No, dijo el patrón, pues al quitar la maleza podrían arrancar también el trigo. Déjenlos crecer juntos hasta la hora de la cosecha. Entonces diré a los segadores: Corten primero las malas hierbas, hagan fardos y arrójenlos al fuego. Después cosechen el trigo y guárdenlo en mis bodegas."

MATEO 13:24–30

¿Qué crees que Jesús quiere que comprendamos en este relato? ¿A quiénes podrían representar las malezas y el trigo?

Parable of the Kingdom

Jesus proclaimed the Kingdom of God through his ministry. The Kingdom of God is the reign, or rule, of God's everlasting love, justice and peace. Jesus taught about the Kingdom through parables to help us anticipate the joy to come in the Kingdom. His parables also helped his followers to reflect on and prepare for the coming of the Kingdom.

[Jesus told his disciples,] "The kingdom of heaven may be likened to a man who sowed good seed in his field. While everyone was asleep his enemy came and sowed weeds all through the wheat, and then went off. When the crop grew and bore fruit, the weeds appeared as well. The [workers] came to [the owner] and said, 'Master, did you not sow good seed in your field? Where have the weeds come from?' He answered, 'An enemy has done this.'

His [workers] said to [the owner], 'Do you want us to go and pull them up?' He replied, 'No, if you pull up the weeds you might uproot the wheat along with them. Let them grow together until harvest; then at harvest time I will say to the harvesters, "First collect the weeds and tie them in bundles for burning, but gather the wheat into my barn."'"

MATTHEW 13:24–30

What do you think Jesus wants us to understand in this story? Who might by the weeds and the wheat stand for?

La Pasión de Jesús

El mensaje de Jesús se volvió demasiado amenazante para algunas personas. Les era muy difícil aceptar su mensaje. Entonces, decidieron que debían matarlo. El relato de la Pasión de Jesús se inicia cuando Jesús y sus discípulos llegan a Jerusalén a celebrar la fiesta de la Pascua judía.

[Jesús dijo a dos de sus discípulos:] "Vayan al pueblo de enfrente y al entrar en él encontrarán atado un burrito que no ha sido montado por nadie hasta ahora. Desátenlo y tráiganmelo."... Trajeron entonces el burrito y le echaron sus capas encima para que Jesús se montara. La gente extendía sus mantos sobre el camino a medida que iba avanzando. Al acercase a la bajada del monte de los Olivos, la multitud de los discípulos comenzó a alabar a Dios a gritos, con gran alegría, por todos los milagros que habían visto.

Decían:
"¡Bendito el que viene como Rey en el
    nombre del Señor!
¡Paz en el cielo
    y gloria en lo más alto de los cielos!"

LUCAS 19:30, 35-38

Jesús es traicionado

Los líderes religiosos judíos oyeron acerca de las enseñanzas de Jesús y los milagros que realizó. Temieron que esto debilitara su nación e hiciera posible que los romanos los conquistaran. Algunos líderes empezaron un plan para arrestar y matar a Jesús.

Entonces uno de los Doce, que se llamaba Judas Iscariote, se presentó a los jefes de los sacerdotes y les dijo: "¿Cuánto me darán si se lo entrego?" Ellos le pagaron treinta monedas de plata. Y a partir de ese momento, Judas andaba buscando una oportunidad para entregárselo.

MATEO 26:14–16

 ¿Cómo saludarías a Jesús si hoy fuera a tu pueblo?

 ¿Qué le dirías a alguien que quisiera arrestar a Jesús?

La Última Cena

La noche antes de morir, Jesús y sus discípulos estaban sentados alrededor de una mesa para la cena de la Pascua judía.

Jesús lava los pies a sus discípulos

Entonces [Jesús] se levantó de la mesa, se quitó el manto y se ató una toalla a la cintura. Echó agua en un recipiente y se puso a lavar los pies de los discípulos, y luego se los secaba con la toalla que se había atado... Pedro replicó: "Jamás me lavarás los pies." Jesús le respondió: "Si no te lavo, no podrás tener parte conmigo." Entonces Pedro le dijo: "Señor, lávame no solo los pies, sino también las manos y la cabeza."

JUAN 13: 4-5, 8-9

"Esto es mi cuerpo"

Durante la comida, Jesús tomó el pan y lo bendijo. Lo partió, lo dio a sus discípulos y dijo: "Tomen y coman; esto es mi cuerpo."

Luego tomó una copa de vino, dio gracias a Dios y entregó la copa a los discípulos. Dijo: "Beban de la copa. Esta copa es la alianza nueva en mi sangre, que será derramada por ustedes. Hagan esto en memoria mía."

BASADO EN LUCAS 22:14–20

¿Qué crees que Jesús estaba enseñando a sus discípulos durante la Última Cena?

The Passion of Jesus

Jesus' message became too threatening to some powerful people. They had a hard time accepting his message. So they decided that he should be put to death. The story of Jesus' Passion begins as Jesus and his disciples come to Jerusalem to celebrate the feast of Passover.

[Jesus said to two of his disciples], "Go into the village opposite you, and as you enter it you will find a colt tethered on which no one has ever sat. Untie it and bring it here...." So they brought it to Jesus, threw their cloaks over the colt, and helped Jesus to mount. As he rode along, the people were spreading their cloaks on the road; and now as he was approaching the slope of the Mount of Olives, the whole multitude of his disciples began to praise God aloud with joy for all the mighty deeds they had seen.

They proclaimed:

"Blessed is the king who comes
in the name of the Lord.
Peace in heaven
and glory in the highest."

LUKE 19: 30, 35-38

Jesus Betrayed

Jewish religious leaders heard about Jesus' teachings and the miracles he performed. They feared that this would weaken their nation and make it possible for the Romans to conquer them. Some leaders began a plan to have Jesus arrested and killed.

Then one of the Twelve, who was called Judas Iscariot, went to the chief priest and said, "What are you willing to give me if I hand him over to you?" They paid him thirty pieces of silver, and from that time on he looked for an opportunity to hand him over.

MATTHEW 26:14–16

? How might you greet Jesus if he came to your town today?

? What would you say to someone who wanted to arrest Jesus?

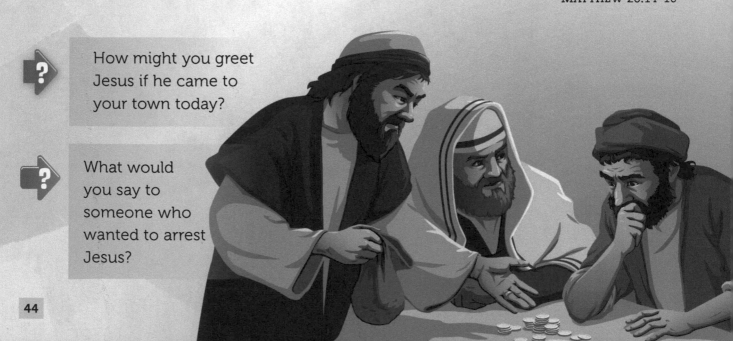

The Last Supper

The night before he died, Jesus and his disciples were seated around a table for the Passover meal.

Jesus Washes the Disciples' Feet

[Jesus] rose from supper and took off his outer garments. He took a towel and tied it around his waist. Then he poured water into a basin and began to wash the disciples' feet and dry them with the towel around his waist.... Peter said to him, "You will never wash my feet." Jesus answered him, "Unless I wash you, you will have no inheritance with me." Simon Peter said to him, "Master, then not only my feet, but my hands and head as well."

JOHN 13: 4-5, 8-9

"This Is My Body"

During the meal, Jesus took the bread and blessed it. He broke the bread, gave it to his disciples and said, "Take and eat; this is my body."

Then he took a cup of wine, gave thanks to God, and gave the cup to the disciples. He said, "Drink from the cup. This cup is the new covenant in my blood, which will be shed for you. Do this in memory of me."

BASED ON LUKE 22:14–20

What do you think Jesus was teaching his disciples during the Last Supper?

La muerte de Jesús

Jesús se preparó para su muerte. Los Evangelios nos cuentan acerca de sus últimas horas. Llevó a sus discípulos a rezar a un huerto llamado Getsemaní.

La agonía en el Huerto

[D]ijo a sus discípulos: "Siéntense aquí, mientras yo voy más allá a orar." Tomó consigo a Pedro y a los dos hijos de Zebedeo y comenzó a sentir tristeza y angustia. Y les dijo: "Siento una tristeza de muerte. Quédense aquí conmigo y permanezcan despiertos." Fue un poco más adelante y, postrándose, oró así: "Padre, si es posible, que esta copa se aleje de mí. Pero no se haga lo que yo quiero, sino lo que quieres tú."... Entonces volvió donde los discípulos y les dijo: "¿Siguen durmiendo y descansando? Ha llegado la hora y el Hijo del Hombre es entregado en manos de pecadores. ¡Levántense, vamos!
El traidor está a punto de llegar."

MATEO 26:36–41, 45-46

Jesús es arrestado

Estaba todavía hablando, cuando llegó Judas, uno de los Doce. Iba acompañado de una turba armada con espadas y garrotes, enviada por los jefes de los sacerdotes y por las autoridades judías. El traidor les había dado esta señal: "Al que yo dé un beso, ese es; arréstenlo." Se fue directamente donde Jesús y le dijo: "Buenas noches, Maestro." Y le dio un beso. Jesús le dijo: "Amigo, haz lo que vienes a hacer." Entonces se acercaron a Jesús y lo arrestaron.

MATEO 26:47–50

 ¿Cómo hubieses reaccionado si hubieses sido testigo de los sufrimientos y muerte de Jesús?

? ¿Si hubieses sido un discípulo de Jesús, qué hubieses hecho?

Los romanos gobernaron la tierra natal de Jesús durante su vida. Los romanos ejecutaban a los criminales colgándolos en una cruz hasta que morían.

La Crucifixión

Cuando llegó la mañana, llevaron a Jesús ante Pilato, el gobernador romano. Después de interrogar a Jesús, Pilato dijo: "Este hombre no ha cometido ningún crimen."

La multitud empezó a gritar cada vez más: "¡Crucifícalo!" Pilato alertó a la multitud acerca de lo que estaban haciendo. Dijo: "La muerte de este hombre no es asunto mío." Sin embargo, Pilato sentenció a muerte a Jesús.

Los soldados de Pilato golpearon a Jesús. Formaron una corona con espinas y se la colocaron en la cabeza. Se burlaron de Jesús, diciendo: "¡Salve, Rey de los Judíos!" Luego hicieron que Jesús llevara una pesada cruz de madera hasta una colina llamada Gólgota. Allí lo crucificaron.

Después de que clavaran las manos y los pies de Jesús en la cruz y que esta fuera colocada en su lugar, Él rezó: "Padre, perdónalos porque no saben lo que están haciendo."

A mitad de la tarde, el cielo se oscureció. Jesús gritó otra vez a Dios. "Padre, te entrego mi espíritu." Entonces Jesús murió.

Un soldado romano estaba de pie cerca de la cruz. Había visto sufrir a Jesús y lo había escuchado perdonar a sus enemigos. Después de que Jesús murió, el soldado se dio cuenta: "Verdaderamente, este hombre era el Hijo de Dios."

BASADO EN MATEO 27:1–2, 11–31, 33–54;
MARCOS 15:1–20, 22–39; LUCAS 23:1–24, 33–47;
JUAN 18:28–19:30

¿Qué estarías dispuesto a sacrificar por un amigo?

The Death of Jesus

Jesus prepared himself for his death. The Gospels tell us about his last hours. He took his disciples to a garden called Gethsemane to pray.

The Agony in the Garden

[H]e said to his disciples, "Sit here while I go over there to pray." He took along Peter and the two sons of Zebedee, and began to feel sorrow and distress. Then he said to them, "My soul is sorrowful even to death. Remain here and keep watch with me." He advanced a little and fell prostrate in prayer, saying, "My Father, if it is possible, let this cup pass from me; yet not as I will, but as you will." …Then he returned to his disciples and said to them, "Are you still sleeping and taking your rest? Behold the hour is at hand when the Son of Man is to be handed over to sinners. Get up, let us go. Look, my betrayer is at hand."

MATTHEW 26:36–41, 45-46

 What would you have done if you were a disciple of Jesus?

Jesus Arrested

While he was still speaking, Judas, one of the Twelve, arrived, accompanied by a large crowd, with swords and clubs, who had come from the chief priests and the elders of the people. His betrayer had arranged a sign with them saying, "The man I shall kiss is the one; arrest him." Immediately he went over to Jesus and said, "Hail, Rabbi!" and he kissed him. Jesus answered him, "Friend, do what you have come to do. " Then stepping forward, they laid hands on Jesus and arrested him.

MATTHEW 26:47–50

 How might have you responded if you had witnessed Jesus' innocent suffering and death?

The Romans ruled Jesus' homeland during his life. The Romans executed criminals by hanging them on a cross until they died.

The Crucifixion

When morning came, Jesus was led before Pilate, the Roman governor. After questioning Jesus, Pilate said, "This man has not committed any crime."

The crowd began to shout over and over, "Crucify him!" Pilate warned the crowd about what they were doing. He said, "This man's death is not my doing." Yet Pilate still sentenced Jesus to die.

Pilate's soldiers beat Jesus. They shaped vines with thorns into a crown and placed it on his head. They mocked Jesus, saying, "Hail, King of the Jews!" Then they made Jesus carry a heavy wooden cross to a hill called Golgotha. There they crucified him.

After Jesus' hands and feet were nailed to the cross and it was raised into place, he prayed, "Father, forgive them for they do not know what they are doing."

In the middle of the afternoon, the sky grew dark. Jesus cried out to God again. "Father, I give you my spirit." Then Jesus died.

A Roman soldier stood near the cross. He had watched Jesus suffer, and heard Jesus forgive his enemies. After Jesus died, the soldier realized, "Truly this man was the Son of God."

BASED ON MATTHEW 27:1–2, 11–31, 33–54;
MARK 15:1–20, 22–39; LUKE 23:1–24, 33–47;
JOHN 18:28–19:30

What would you be willing to sacrifice for a friend?

La Resurrección de Jesús

Jesús dijo a sus seguidores que moriría y que luego volvería a la vida en tres días, de acuerdo con el plan de Salvación de Dios. A ellos les resultaba difícil creer que esto fuera posible. El primer día de la semana, las mujeres llegaron al sepulcro con especias para ungir el cuerpo de Jesús.

Pero se encontraron con una novedad: la piedra que cerraba el sepulcro había sido removida, y al entrar no encontraron el cuerpo del Señor Jesús. No sabían qué pensar, pero en ese momento vieron a su lado a dos hombres con ropas fulgurantes. Estaban tan asustadas que no se atrevían a levantar los ojos del suelo. Pero ellos les dijeron: "¿Por qué buscan entre los muertos al que vive? No está aquí. Resucitó. Acuérdense de lo que les dijo cuando todavía estaba en Galilea: 'El Hijo del Hombre debe ser entregado en manos de los pecadores y ser crucificado, y al tercer día resucitará'." Ellas entonces recordaron las palabras de Jesús. Al volver del sepulcro, les contaron a los Once y a todos los demás lo que les había sucedido.

Lucas 24:1–9

 ¿Cómo habrías respondido si hubieras encontrado vacío el sepulcro de Jesús?

Una aparición del Señor

En los días que siguieron a su Resurrección, Jesús se apareció muchas veces a sus discípulos. Estas apariciones fortalecieron su fe y los ayudaron a saber que Jesús es el Señor. Una noche, Pedro y algunos de los discípulos salieron a pescar en su barca toda la noche, pero no atraparon nada. Al amanecer, vieron al Señor Jesús que estaba parado en la orilla, pero no lo reconocieron.

Jesús les dijo: "Muchachos, ¿tienen algo que comer?" Le contestaron: "Nada." Entonces Jesús les dijo: "Echen la red a la derecha y encontrarán pesca." Echaron la red, y no tenían fuerzas para recogerla por la gran cantidad de peces. El discípulo al que Jesús amaba dijo a Simón Pedro: "Es el Señor." Apenas Pedro oyó decir que era el Señor, se puso la ropa, pues estaba sin nada, y se echó al agua. Los otros discípulos llegaron con la barca —de hecho, no estaban lejos, a unos cien metros de la orilla; arrastraban la red llena de peces. Al bajar a tierra encontraron fuego encendido, pescado sobre las brasas y pan.
Jesús les dijo: "Traigan algunos de los pescados que acaban de sacar." Simón Pedro subió a la barca y sacó la red llena con ciento cincuenta y tres pescados grandes. Y a pesar de que hubiese tantos, no se rompió la red.
Entonces Jesús les dijo: "Vengan a desayunar." Ninguno de los discípulos se atrevió a preguntarle quién era, pues sabían que era el Señor.

JUAN 21:5–12

? ¿A qué crees que se parecía el desayuno de esa mañana con Jesús?

The Resurrection of Jesus

Jesus told his followers that he would die and then come back to life in three days according to God's plan of Salvation. They had trouble believing that this was possible. On the first day of the week, women came to the tomb with spices to anoint Jesus' body.

They found the stone rolled away from the tomb; but when they entered, they did not find the body of the Lord Jesus. While they were puzzling over this, behold, two men in dazzling garments appeared to them. They were terrified and bowed their faces to the ground. They said to them, "Why do you seek the living one among the dead? He is not here, but he has been raised. Remember what he said to you while he was still in Galilee, that the Son of Man must be handed over to sinners, and be crucified, and rise on the third day." And they remembered the words. Then they returned from the tomb and announced all these things to the eleven and to all the others.

LUKE 24:1–9

 How might have you responded if you had found Jesus' tomb empty?

An Appearance of the Lord

In the days following his Resurrection, Jesus appeared to his disciples many times. These appearances strengthened their faith and helped them to know that Jesus is the Lord. One night Peter and some of the disciples went out fishing on their boat all night, but they caught nothing. After dawn, they saw the Lord Jesus standing on the shore, but they did not recognize him.

Jesus said to them, "Children, have you caught anything to eat?" They answered him, "No." So he said to them, "Cast the net over the right side of the boat and you will find something." So they cast it, and were not able to pull it in because of the number of fish. So the disciple whom Jesus loved said to Peter, "It is the Lord." When Simon Peter heard that it was the Lord, he tucked in his garment for he was lightly clad, and jumped into the sea. The other disciples came in the boat, for they were not far from the shore, only about a hundred yards, dragging the net with the fish. When they climbed out of the boat they saw a charcoal fire with fish on it and bread. Jesus said to them, "Bring some of the fish you just caught." So Simon Peter went over and dragged the net ashore full of one hundred fifty-three large fish. Even though there were so many, the net was not torn. Jesus said to them, "Come, have breakfast." And none of the disciples dared to ask him, "Who are you?" because they realized it was the Lord.

JOHN 21:5–12

What do you think breakfast that morning with Jesus was like?

La Ascensión de Jesús

El acontecimiento en el cual Jesús regresó a Dios Padre se llama la Ascensión de Jesús. Descubre lo que Jesús pidió a los Apóstoles que hicieran antes de su Ascensión.

[Jesús dijo a los Apóstoles:] "Vayan, pues, y hagan que todos los pueblos sean mis discípulos. Bautícenlos en el Nombre del Padre y del Hijo y del Espíritu Santo, y enséñenles a cumplir todo lo que yo les he encomendado a ustedes. Yo estoy con ustedes todos los días hasta el fin de la historia."

MATEO 28:19–20

Jesús los llevó hasta cerca de Betania y, levantando las manos, los bendijo. Y mientras los bendecía, se separó de ellos (y fue llevado al cielo. Ellos se postraron ante él.) Después volvieron llenos de gozo a Jerusalén."

LUCAS 24:50–52

 ¿Cuáles son algunas de las maneras en que puedes honrar a Jesús como el Señor?

The Ascension of Jesus

The event in which Jesus returned to God the Father is called the Ascension of Jesus. Discover what Jesus asked the Apostles to do before his Ascension.

[Jesus said to the Apostles], "Go, therefore, and make disciples of all nations, baptizing them in the name of the Father, and of the Son, and of the Holy Spirit, teaching them to observe all that I have commanded you. And behold, I am with you always, until the end of the age."

MATTHEW 28:19–20

Then [Jesus] led [the disciples] [out] as far as Bethany, raised his hands, and blessed them. As he blessed them he parted from them and was taken up to heaven. They did him homage and then returned to Jerusalem with great joy.

LUKE 24:50–52

 What are some ways in which you can honor Jesus as Lord?

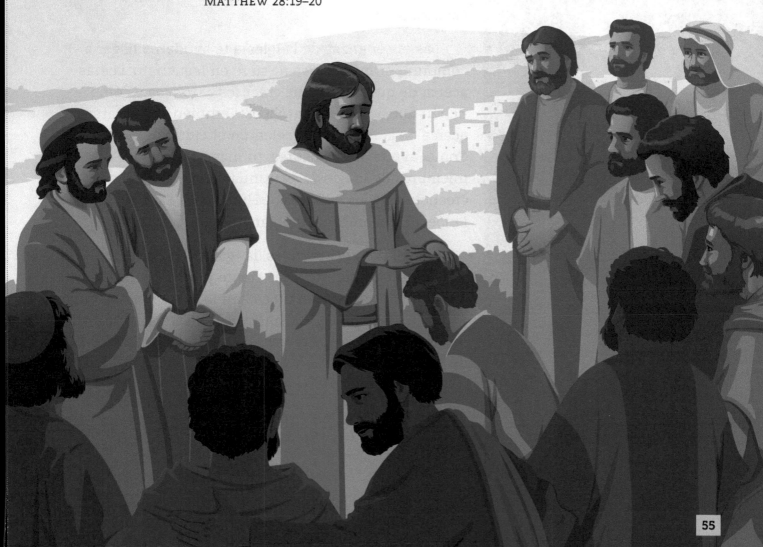

La fe de la Iglesia

En la primera sección de este libro, encontraste a Jesús al leer relatos sobre su vida escogidos de los Evangelios. Aprendiste acerca de su nacimiento, su Bautismo y su misión. Leíste acerca de algunos de los milagros que Jesús realizó y acerca de algunas de las parábolas que enseñó. Leíste sobre la Muerte, la Resurrección y la Ascensión de Jesús. Todos estos relatos de los Evangelios forman parte de la Sagrada Escritura, a través de la cual la Palabra de Dios, Jesucristo, se nos revela.

En la próxima sección, aprenderás que Dios se nos ha revelado a través de la Sagrada Tradición de la Iglesia. Esta es la fe de la Iglesia. La Sagrada Tradición es la enseñanza de la Iglesia que se nos ha transmitido desde Jesús hasta la Iglesia, a través del poder y la guía del Espíritu Santo.

Las enseñanzas de la Iglesia te ayudan a llegar a comprender más acerca de tu fe en Jesucristo. Leerás acerca de qué tienen que creer los católicos y cómo tienen que actuar los católicos. También aprenderás acerca de cómo rezan y celebran el culto los católicos. Con la ayuda de tus padres, tu maestro y otros miembros de la Iglesia, continuarás creciendo en tu creencia en Dios Padre, Dios Hijo y Dios Espíritu Santo. Empezarás a crecer como parte de la Iglesia.

A medida que aprendas, la Iglesia espera que descubras el amor que Dios siente por ti, y cómo Dios te creó como una persona única con la capacidad de amar a Dios, a los demás y a ti mismo. Que este momento sea de gozo cuando Jesús te invite a aprender acerca de la fe de la Iglesia.

The Faith of the Church

In the first section of this book, you encountered Jesus by reading selected stories from the Gospels about his life. You learned about his birth, his Baptism, and his mission. You read about some of the miracles Jesus performed and some of the parables that he taught. You read about Jesus' Death, Resurrection, and Ascension. All of these Gospel stories are part of Sacred Scripture through which the Word of God, Jesus Christ, is revealed to us.

In this next section, you will learn what God has revealed to us through the Sacred Tradition of the Church. This is the faith of the Church. Sacred Tradition is the teaching of the Church that has been passed down to us from Jesus to the Church through the power and guidance of the Holy Spirit.

The teachings of the Church help you come to understand more about your faith in Jesus Christ. You will read about what Catholics are to believe and how Catholics are to act. You will also learn about how Catholics pray and worship. With the help of your parents, teacher, and other members of the Church, you will continue to grow in your belief in God the Father, God the Son, and God the Holy Spirit. You will begin to grow as part of the Church.

As you learn, the Church hopes you will discover the love that God has for you, and how God created you as a unique person with the capacity to love God, others, and yourself. May this time be one of joy as Jesus invites you to learn about the faith of the Church.

Para prepararse

Aunque tal vez nunca hayas tenido una educación religiosa formal, te vas a sorprender por lo que ya comprendes acerca de vivir como un discípulo de Jesús. Responde las siguientes preguntas para descubrir algunas de las conexiones que existen entre tu vida y la fe católica.

1. ¿Quién es una persona importante en tu vida? ¿Por qué?

2. ¿A qué tipo de grupos te gusta asociarte?

3. ¿Cómo celebras momentos especiales con tu familia?

4. ¿Cuáles son algunas de las maneras en que ayudas a los demás?

5. ¿Cómo sabes que has hecho lo correcto?

6. ¿Cómo hablas con Dios?

7. ¿Qué preguntas tienes acerca de la Iglesia Católica?

Getting Ready

Although you may never have gone through formal religious education, you are going to be surprised at what you already understand about living as a disciple of Jesus. Answer the following questions to discover a few of the connections between your life and the Catholic faith.

1. Who is an important person in your life? Why?

   _____

   _____

2. What kind of groups do you like to be associated with?_____

   _____

3. How do you celebrate special moments within your family?_____

   _____

4. What are some of the ways in which you help others?_____

   _____

5. How do you know you have done the right thing?

   _____

   _____

6. How do you talk to God?

   _____

   _____

7. What questions do you have about the Catholic Church?_____

   _____

Capítulo 1

Lo que vendrá

En este capítulo el Espíritu Santo te invita a

- ✓ **Investigar** las maravillas de la creación.

- ✓ **Descubrir** cómo Dios se revela a sí mismo.

- ✓ **Decidir** cómo demostrarás tu amor por Dios.

Creemos en...

Dios Padre

Las estrellas fugaces, los delfines que saltan en el mar, los arcoíris y las personas son algunos de los muchos dones de Dios para nosotros. En los renglones siguientes, anota dos de los dones de Dios que más disfrutas.

_____

_____

En este himno de alabanza, el autor de la Sagrada Escritura celebra a Dios, que da todas las cosas que son buenas.

¡Este es el día que ha hecho el Señor,
gocemos y alegrémonos en él!

Salmo 118:24

¿Cuál es una de las maneras en que te alegras en los dones de Dios? **?**

Chapter 1

We Believe in . . .
God the Father

Shooting stars, dolphins leaping in the ocean, rainbows, and people are just a few of God's many gifts to us. On the lines below, list two of God's gifts that you most enjoy.

_____

_____

In this hymn of praise the Bible writer celebrates God who brings all things that are good.

> This is the day the LORD has made;
> let us rejoice in it and be glad.
>
> PSALM 118:24

? What is one way you rejoice in God's gifts?

Looking Ahead

In this chapter the Holy Spirit invites you to

- ✔ **Explore** the wonders of creation.

- ✔ **Discover** how God reveals himself to us.

- ✔ **Decide** how you will show your love for God.

ACTIVIDAD Mira las imágenes de esta página. Luego habla con un compañero. ¿De qué manera se expresa la fe en las imágenes?

El plan amoroso de nuestro Padre

Dios nos ama tanto que se reveló a sí mismo. Dios es la Santísima Trinidad: Dios Padre, Dios Hijo y Dios Espíritu Santo. Llamamos **Revelación Divina** a cuando Dios se nos da a conocer. Dios Padre se revela a sí mismo y su plan amoroso de Creación y Salvación en la Biblia. Dios Padre se nos revela más plenamente en su único Hijo, Jesucristo.

Nunca podemos agotar el misterio de Dios y de cómo llegamos a conocerlo a Él y su amor por nosotros. Sin embargo, Dios nos da los maravillosos dones y poderes de la **fe** y la razón para ayudarnos a conocerlo y a creer en todo lo que Él ha revelado. Cuando miramos el mundo, podemos saber que hay un creador a través del uso de nuestra razón. Y, a través del don de la fe, Dios nos invita a creer en Él y a vivir como Jesús enseñó. Aprendemos acerca de las enseñanzas de Jesús a través de la Iglesia, especialmente en la Biblia.

Dios nos ayuda a crecer en amistad con Él. Gracias a que Dios nos creó a su imagen y semejanza, podemos pensar, amar y cuidar a los demás. Así es como compartimos la bondad de Dios en el mundo. Podemos ser amorosos, gentiles, compasivos, pacientes y comprensivos porque Dios está siempre con nosotros. Llamamos **gracia** al don de la vida y la presencia amorosa de Dios.

El plan amoroso de Dios es que todas las personas vivan con Él para siempre. Podemos cooperar con Dios para llevar a cabo su plan conociéndolo, amándolo y sirviéndolo.

Our Father's Loving Plan

God loves us so much that he has revealed himself to us. God is the Holy Trinity: God the Father, God the Son, and God the Holy Spirit. We call God's making himself known to us **Divine Revelation**. God the Father reveals himself and his loving plan of Creation and Salvation in the Bible. God the Father most fully reveals himself to us in his only Son, Jesus Christ.

We can never exhaust the mystery of God, and of how we come to know him and his love for us. However, God gives us the wonderful gifts and powers of **faith** and reason to help us know him and believe in all that he has revealed. When we look at the world, we can know there is a creator by the use of our reason. And through the gift of faith, God invites us to believe in him and to live as Jesus taught. We learn about Jesus' teachings from the Church, especially in the Bible.

God helps us to grow in friendship with him. Because God created us in his image and likeness, we can think, love, and care for others. This is how we share God's goodness in the world. We can be loving, gentle, merciful, patient, and understanding because God is always with us. We call the gift of God's life and loving presence **grace**.

God's loving plan is that all people will live with him forever. We can cooperate with God to carry out his plan by knowing, loving, and serving him.

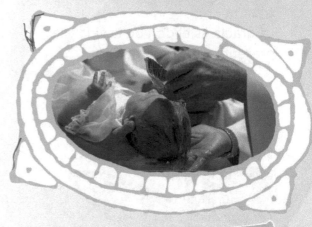

ACTIVITY Look at the pictures on this page. Then talk with a partner. How is faith expressed in the pictures?

Revelación Divina

La Revelación Divina es Dios que a través del tiempo da a conocer el misterio de sí mismo y su plan de Creación y Salvación.

fe

La fe es el don y el poder sobrenatural de Dios invitándonos a conocerlo y a creer en Él. También es cuando respondemos libremente a su invitación.

gracia

La gracia es el don de la vida y la presencia amorosa de Dios.

Dios es el Creador

El relato de la Creación se encuentra en un libro especial llamado Biblia, o Sagrada Escritura. La Biblia nos habla acerca del amor de Dios por nosotros y su plan de Salvación para todos los hombres. La Biblia es la Palabra de Dios. La Biblia la escribieron los autores humanos, inspirados por el Espíritu Santo para comunicar con fidelidad y exactitud la Palabra de Dios.

En el Génesis, el primer libro de la Biblia, aprendemos que Dios es el Creador. Por amor, Dios creó el universo y a todas las personas de la nada. Todo lo que Dios hizo es bueno y es una señal de su bondad.

El relato de la Creación nos cuenta que, después de que Dios creó el cielo, el agua, la tierra, las plantas y los animales, creó a los seres humanos a su imagen y semejanza. Dios entregó a todas las personas un cuerpo físico y un alma espiritual. El alma es inmortal, lo que significa que no morirá nunca.

Dios bendijo al hombre y a la mujer que creó. Los escritores de la Biblia los llamaron Adán y Eva. Él les pidió que se amaran el uno al otro. También les pidió que cuidaran de su don de la creación y que usaran toda la creación sabiamente (consulta Génesis 1:1–31).

ACTIVIDAD Diseña un cartel que muestre cómo usar sabiamente la creación.

God Is the Creator

The story of Creation is found in a special book called the Bible, or Sacred Scripture. The Bible tells us about God's love for us and his plan of Salvation for all people. The Bible is the Word of God. Human authors, inspired by the Holy Spirit to faithfully and accurately communicate God's Word, wrote the Bible.

In Genesis, the first book of the Bible, we learn that God is the Creator. Out of love, God created the universe and all people from nothing. Everything that God made is good and is a sign of his goodness.

The Creation story tells us that after God made the sky, water, land, plants, and animals, God created human beings in his image and likeness. God gave every person a physical body and a spiritual soul. The soul is immortal, meaning it will never die.

God blessed the man and woman he created. The writers of the Bible called them Adam and Eve. He asked them to love one another. He also asked them to care for his gift of creation, and to use all of creation wisely (see Genesis 1:1–31).

ACTIVITY Design a banner showing how to use creation wisely.

El pecado entró en nuestro mundo

El relato de Adán y Eva nos enseña que pertenecemos a la única familia de Dios. Dios nos creó para que seamos felices con Él aquí en la Tierra y para siempre en el Cielo. Dios creó a todos con la libertad para decirle sí. Sin embargo, el demonio tentó a Adán y a Eva, y pecaron. Adán y Eva abusaron de su libertad rechazando la gracia de Dios cuando pecaron. La Biblia explica por qué el pecado entró en nuestro mundo.

Adán y Eva no estaban satisfechos con el plan de bondad de Dios para todas los hombres. Le dieron la espalda al amor de Dios. Desobedecieron a Dios. La Iglesia llama a esto Pecado Original. El Pecado Original fue el primer pecado y el comienzo de todo el mal y el pecado en el mundo.

El Pecado Original hirió a todas las personas y a todas las cosas que Dios creó. Cada persona nace compartiendo los efectos del Pecado Original. A pesar de nuestros pecados, Dios continúa invitando y ayudando a todas las personas a participar de su bondad y su amor. El Padre envió a Jesús, su único Hijo, para redimirnos y para restablecer nuestra amistad con Dios. Con el Espíritu Santo, podemos aceptar la gracia necesaria para volver a Dios en la fe.

ACTIVIDAD

En el espacio, escribe el nombre de alguien que ayuda a los demás. Describe cómo esta persona superó los efectos del Pecado Original a través de sus buenas acciones.

Sin Entered Our World

The story of Adam and Eve teaches us that we belong to the one family of God. God created us to be happy with him here on Earth and forever in Heaven. God created everyone with the freedom to say yes to him. However, the devil tempted Adam and Eve and they sinned. Adam and Eve abused their freedom by rejecting God's grace when they sinned. The Bible explains why sin entered our world.

Adam and Eve were not satisfied with God's plan of goodness for all people. They turned away from God's love. They disobeyed God. The Church calls this Original Sin. Original Sin was the first sin and the beginning of all evil and sin in the world.

Original Sin wounded everyone and everything God created. Each person is born sharing in the effects of Original Sin. Despite our sins, God continues to invite and help everyone to share in his goodness and love. The Father sent Jesus, his only Son, to redeem us and restore our friendship with God. With the Holy Spirit, we can accept the grace necessary to turn back to God in faith

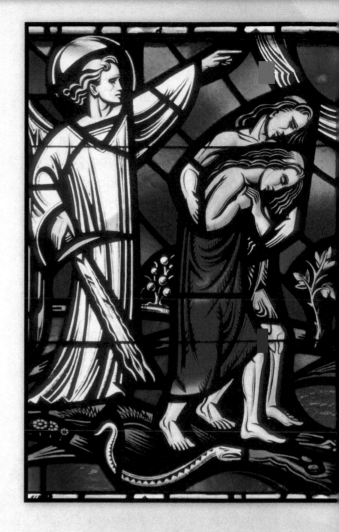

ACTIVITY In the space, write the name of someone who helps others. Describe how this person overcomes the effects of Original Sin through their good actions.

Identidad católica

Los santos son personas virtuosas cuyo amor por Dios es más fuerte que su amor por cualquier otra cosa o persona. Todos los santos amaron y sirvieron a Dios en todo lo que hicieron. Sabían que necesitaban la gracia que los ayudara a seguir a Jesús. Los santos vivieron una vida santa en la Tierra. Ahora viven con Dios en el Cielo. Todos nosotros estamos llamados a ser santos.

María, la Madre de Jesús

Dios eligió a María para que fuera una parte importante de su plan de Salvación. La función de María en el plan de Dios es tan especial que está libre de todo pecado, desde el primer momento de su concepción y a lo largo de toda su vida. La Iglesia llama Inmaculada Concepción a que María estaba libre del Pecado Original.

Dios envió al ángel Gabriel para que le dijera a María que Dios la había elegido para que fuera la madre de su Hijo. Aun cuando no comprendió plenamente lo que significaba ser la madre de Jesús, María confió en Dios. Dijo: *"Hágase en mí tal como has dicho"* (Lucas 1:38). María se convirtió en la madre de Jesús a través del poder del Espíritu Santo.

Creemos que la Virgen María es la Madre de Dios y es también nuestra madre. Cuando Jesús estaba muriendo en la cruz, nos dio a María para que nos ayudara a crecer en la fe. Cuando ella estaba a los pies de la cruz con su discípulo amado, Jesús le dijo a Juan, el discípulo: *"Ahí tienes a tu madre"* (Juan 19:27).

María es la santa más importante gracias a su perfecta fe. Ella confió completamente en Dios. Como María, nosotros también podemos amar y obedecer a Dios, y confiar en su plan para nosotros. Podemos ser seguidores de Jesús como nuestra Bienaventurada Madre. Al conocer, amar y servir a Dios, nos volvemos signos de la gracia de Dios.

¿Por qué María es una parte importante del plan de Salvación de Dios?

La crucifixión
Hendrick Krock
(1677-1738, danés)

La anunciación,
de Bartolomé Esteban Murillo

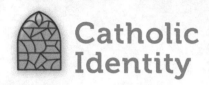
Mary, the Mother of Jesus

God chose Mary to be an important part of his plan of Salvation. Mary's role in God's plan is so special that she is free from all sin, from the first moment of her conception and throughout her whole life. The Church calls Mary's freedom from Original Sin the Immaculate Conception.

God sent the angel Gabriel to tell Mary that she was chosen by God to be the mother of his Son. Even though she did not fully understand what it would mean to be the mother of Jesus, Mary trusted in God. She said, *"May it be done to me according to your word"* (Luke 1:38). Mary became Jesus' mother through the power of the Holy Spirit.

We believe that the Virgin Mary is the Mother of God and is our mother, too. As Jesus was dying on the cross, he gave us Mary to help us grow in faith. As she stood at the foot of the cross with his beloved disciple, Jesus said to John the disciple, *"Behold, your mother"* (John 19:27).

Mary is the greatest Saint because of her perfect faith. She completely trusted in God. Like Mary, we too can love and obey God and trust in his plan for us. We can be followers of Jesus as our Blessed Mother is. By knowing, loving, and serving God, we become signs of God's grace.

Saints are holy people whose love for God is stronger than their love for anything or anyone else. All the Saints loved and served God in everything they did. They knew they needed grace to help them follow Jesus. The Saints lived holy lives on Earth. Now they live with God in Heaven. We are all called to be saints.

The Crucifixion
Hendrick Krock
(1677-1738 Danish)

 Why is Mary an important part of God's plan of Salvation?

The Annunciation
by Bartolome Esteban Murillo

YO SIGO A JESÚS

Dios se revela como Padre, Hijo y Espíritu Santo. Dios es nuestro Padre amoroso. Jesús, el Hijo, te enseña a conocer, a amar y a servir al Padre. El Espíritu Santo te guía con la gracia. Dios te invita a creer en Él, de manera que puedas vivir como hijo de Dios.

ACTIVIDAD

En los siguientes renglones, escribe una C junto al enunciado que muestra cómo **conocer** más acerca de Dios. Escribe una A junto al enunciado que demuestra **amor** por Dios. Escribe una S junto al enunciado que muestra una manera de **servir** a Dios. Luego encierra en un círculo el enunciado que describe algo que hayas hecho o que te gustaría hacer.

_____Alabo a Dios por el don de la creación.

_____Reúno alimentos enlatados para la despensa de la parroquia.

_____Leo la Biblia.

Mi elección de fe

Esta semana puedo demostrar mi amor por Dios. Yo voy a

_____

_____

_____

Siéntate tranquilo y reza en el silencio de tu corazón:
Querido Dios, ayúdame a conocerte, a amarte y a servirte cada día. Amén.

God reveals himself as Father, Son and Holy Spirit. God is your loving Father. Jesus, the Son, teaches you to know, love and serve the Father. The Holy Spirit guides you with grace. God invites you to believe in him, so you can live as a child of God.

I FOLLOW JESUS

ACTIVITY

On the lines below, write a K next to the statement that shows how to **know** more about God. Write an L next to the statement that demonstrates **love** for God. Write an S next to the statement that shows one way to **serve** God. Then circle the statement that describes something you have done or would like to do.

love I praise God for the gift of creation.

serve I collect canned food for the parish pantry.

Know I read the Bible.

My Faith Choice

This week I can show my love for God. I will:

_____

_____

_____

Sit quietly and pray in the silence of your heart: Dear God, help me to know, love, and serve you each day. Amen.

1. Dios creó todas las cosas y a todas las personas de la nada, por amor.

2. La Revelación Divina es Dios que se da a conocer a sí mismo y su plan de Creación y Salvación.

3. El Pecado Original fue el comienzo de todo el mal y el pecado en el mundo.

REPASO DEL CAPÍTULO

Ordena las palabras para completar las oraciones.

1. A la Sagrada Escritura también se la llama _____.

   liBabi

2. Dios es nuestro Padre y_____.

   dreaCor

3. La _____nos ayuda a creer en Dios.

   ef

4. El don de la vida y la presencia de Dios se llama _____.

   criaga

5. María es la_____más importante.

   Snaat

Salmo de alabanza

La alabanza es la manera más importante en que le rezamos a Dios. El Libro de los Salmos es una colección de oraciones y canciones de la Biblia. Cuando reces este salmo, imagina a toda la creación alabando a Dios contigo.

> ¡Alaben al Señor!
>
> Alábenlo el sol y la luna;
>
> alábenlo los astros de luz.
>
> Alábenlo los cielos;
>
> Alábenlo las aguas.
>
> Alaben el nombre del Señor,
>
> porque habló y fueron creados.
>
> Alábenlo todas las personas,
>
> jóvenes y ancianas;
>
> Alaben el nombre del Señor.
>
> ¡El nombre de Dios es magnífico!
>
> ¡Alaben el nombre del Señor!

BASADO EN EL SALMO 148

CHAPTER REVIEW

Unscramble the words to complete the sentences.

1. The Sacred Scriptures are also called the
   Bible.
   liBbe

2. God is our Father and_Creator_.
   treaCor

3. _Faith_ helps us to believe in God.
   thaFi

4. The gift of God's life and presence is called
   grace creag
   creag

5. Mary is the greatest_saint_.
   Satni

TO HELP YOU REMEMBER

1. God created everything and all people out of nothing but love.

2. Divine Revelation is God making himself and his plan of Creation and Salvation known to us.

3. Original Sin was the beginning of all evil and sin in the world.

A Psalm of Praise

Praise is the most important way we pray to God. The Book of Psalms is a collection of prayers and songs in the Bible. As you pray this psalm, imagine all of creation praising God with you.

Praise the Lord!
Praise him, sun and moon;
Praise him, you shining stars.
Praise him, you heavens;
Praise him, you waters.
Let them all praise the name of the Lord,
for he spoke and they were created.
Praise him, all peoples
Young and old;
Praise the name of the Lord.
God's name is great!
Praise the name of the Lord!

BASED ON PSALM 148

Con mi familia

Esta semana...

En el capítulo 1, "Creemos en Dios Padre", su niño aprendió:

▶ Dios es el Creador; hizo todas las cosas y a todas las personas de la nada, por amor.

▶ Dios se nos da a conocer a través de la Revelación Divina.

▶ La fe es la invitación de Dios a conocerlo y a creer en Él, es también responder libremente a la invitación de Dios.

▶ Dios nos creó para que seamos felices con Él en la Tierra y para siempre en el Cielo.

▶ La Biblia, o Sagrada Escritura, es la Palabra de Dios.

▶ El Pecado Original es el comienzo de todo el mal y el pecado en el mundo.

Para saber más sobre otras enseñanzas de la Iglesia, consulten el *Catecismo de la Iglesia Católica,* 27–43, 50–67 y 142–197, y el *Catecismo Católico de los Estados Unidos para los Adultos,* páginas 12–18.

■ Vivimos como discípulos

El hogar cristiano con la familia es una escuela de discipulado. Elijan una de las siguientes actividades para hacer en familia, o creen una actividad similar ustedes mismos.

▶ **El Poder de los discípulos de la fe** es un don de Dios, que nos ayuda a conocer a Dios y a creer en Él y en todo lo que ha revelado. Compartan de qué manera su familia puede vivir la virtud teologal de la fe.

▶ Inviten a los miembros de la familia a nombrar algo de la naturaleza que, para ellos, sea un signo del poder creador de Dios. Pidan a todos que den una razón para su elección.

■ Compartir la Palabra de Dios

Lean juntos los dos relatos de la Creación de la Biblia: Génesis 1:1–2:3 y Génesis 2:4–25. Luego hablen acerca de qué nos dicen sobre Dios estos pasajes de la Sagrada Escritura. Enfaticen que Dios bendijo todo lo que creó y dijo que era bueno.

■ Nuestro viaje espiritua[l]

La oración diaria es fundament[al] para nuestro crecimiento en la fe. Pueden rezar juntos oracione[s] tradicionales, algunas de las cuales se encuentran en las páginas 270–282. Si lo desean, también pueden ayudar a su niño a aprender a usar sus propias palabras para rezar desde el corazón. También pueden usar la Sagrada Escritur[a] para rezar. Celebren la Creación de Dios esta semana rezando el Salmo de la página 72. Inviten a los miembros de la familia a agregar frases adicionales para alabar al Señor, nuestro Dios y Creador.

Para hallar más ideas sobre las maneras en que su familia puede vivir como discípulos de Jesús, visiten **seanmisdiscipulos.com** ➤

With My Family

This Week . . .

In chapter 1, "We Believe in God the Father," your child learned:

- God is the Creator; he made everything and all people out of nothing but love.

- God makes himself known to us through Divine Revelation.

- Faith is God's invitation to know and believe in him; it is also our free response to God's invitation.

- God created us to be happy with him on Earth and forever in Heaven.

- The Bible, or Sacred Scripture, is the Word of God.

- Original Sin is the beginning of all evil and sin in the world.

For more about related teachings of the Church, see the *Catechism of the Catholic Church*, 27–43, 50–67, and 142–197, and the *United States Catholic Catechism for Adults*, pages 12–18.

■ We Live as Disciples

The Christian home and family is a school of discipleship. Choose one of the following activities to do as a family or design a similar activity on your own.

- **The Disciple Power of faith** is a gift from God and helps us to know God and believe in him, and all that he has revealed. Share how your family can live out the Theological Virtue of faith.

- Invite family members to name something from nature that is a sign of God's creative power for them. Ask everyone to give a reason for his or her choice.

■ Sharing God's Word

Read together the two Creation accounts from the Bible: Genesis 1:1–2:3 and Genesis 2:4–25. Then talk about what these Scripture passages tell us about God. Emphasize that God blessed all he created and called it good.

■ Our Spiritual Journey

Daily prayer is essential to our growth in faith. You can pray together traditional prayers, some of which are found on pages 271-283. You might also help your child learn to use their own words to pray from their hearts. You can also use Sacred Scripture to pray. Celebrate God's Creation this week by praying the Psalm on page 73. Invite family members to add additional phrases to praise the Lord, our God and Creator.

For more ideas on ways your family can live as disciples of Jesus, visit **BeMyDisciples.com**

Lo que vendrá

En este capítulo el Espíritu Santo te invita a

✔ **Investigar** la promesa de Dios sobre un salvador.

✔ **Descubrir** la misión de Jesús.

✔ **Decidir** cómo seguirás a Jesús.

¿Qué palabras usarías para describir a Jesús?

Creemos en...
Jesucristo

Menciona tres palabras que usarías para describirte con alguien que acabas de conocer.

_____

_____

_____

Entonces Jesús les preguntó: "Y ustedes, ¿quién dicen que soy yo?". Pedro le contestó: "Tú eres el Mesías".

MARCOS 8:29

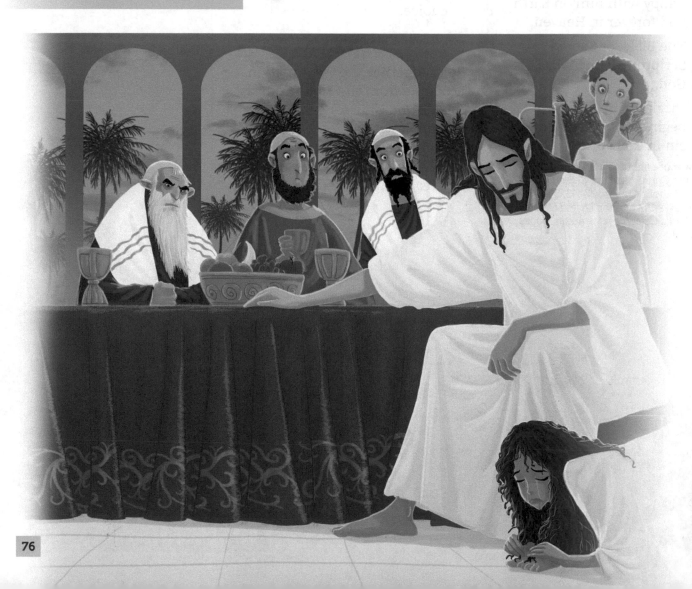

Chapter 2

We Believe in . . .
Jesus Christ

Name three words you might use to describe yourself to someone you are meeting for the first time.

shy
kind
helpful

And [Jesus] asked them, "But who do you say that I am?" Peter said to him in reply, "You are the Messiah."

MARK 8:29

Looking Ahead

In this chapter the Holy Spirit invites you to

✓ **Explore** God's promise of a savior.

✓ **Discover** the mission of Jesus.

✓ **Decide** how you will follow Jesus.

 What words would you use to describe Jesus?

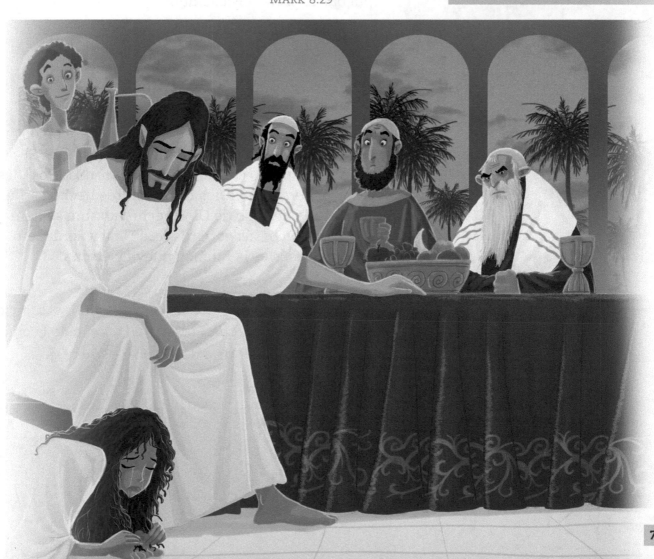

La promesa de un Salvador

La primera parte de la Biblia, el Antiguo Testamento, cuenta el relato de la Alianza entre Dios y toda la humanidad. Dios estableció este pacto sagrado con nosotros. El relato de la Alianza empieza en la Creación, con Adán y Eva. Sin embargo, Adán y Eva rompieron la Alianza cuando pecaron. Aun así Dios no los abandonó a ellos ni a sus descendientes. Dios mantuvo la Alianza con su pueblo por medio de líderes, como Noé, Abrahán y Moisés.

En la Alianza, Dios prometió amar y cuidar a su pueblo. A cambio, el pueblo prometió ser fiel a Dios. A pesar de que a menudo el pueblo pecaba y le daba la espalda a Dios, Él nunca rompió su promesa. Le recordaba la Alianza a través de sus profetas, esas personas especiales que hablan en nombre de Dios. A través de los profetas, Dios prometió enviar un salvador, que sellaría completamente la Alianza entre Él y su pueblo. El profeta Isaías dijo:

"El Señor, pues, les dará esta señal: La joven está embarazada y da a luz un varón a quien le pone el nombre de Emmanuel..."

ISAÍAS 7:14

Dios mantuvo su promesa. Dios Padre envió a Jesús, su Hijo único, como nuestro Salvador. El nombre *Emmanuel* significa "Dios-con-nosotros". Jesús es verdaderamente Dios con nosotros hecho carne. El misterio del Hijo de Dios hecho hombre se llama **Encarnación**. Jesús es verdadero Dios y verdadero hombre. Jesús es la Alianza nueva y eterna.

ACTIVIDAD

Sigue el camino de piedras para descubrir el significado del nombre de Jesús. Encierra en un círculo la primera letra de cada tres para decodificar el mensaje.

D C I X L O Y P Y S J T S U Q A K I L P M V Y T A

78

The Promise of a Savior

The first part of the Bible, the Old Testament, tells the story of the Covenant between God and all of humanity. God initiated this sacred agreement with us. The story of the Covenant began at Creation with Adam and Eve. However, Adam and Eve broke the Covenant when they sinned. Yet God did not abandon them or their descendants. God continued the Covenant with his people through leaders like Noah, Abraham, and Moses.

In the Covenant, God promised to love and care for his people. In return, the people promised to be faithful to God. Despite how often the people sinned and turned away from God, God never broke his promise. He reminded his people of the Covenant through his prophets, those special people who speak in God's name. Through the prophets, God promised to send a savior, who would completely heal the Covenant between God and his people. The prophet Isaiah said,

> "[T]he Lord himself will give you this sign:
> the virgin shall be with child, and bear
> a son, and shall name him Immanuel"
>
> ISAIAH 7:14

God kept his promise. God the Father sent Jesus, his only Son, as our Savior. The name *Immanuel* means "God with us." Jesus is truly God with us in the flesh. We call the mystery of the Son of God becoming man the **Incarnation**. Jesus is true God and true man. Jesus is the new and everlasting Covenant.

ACTIVITY Follow the path of stepping stones to discover the meaning of Jesus' name. Circle every third letter to decode the message.

_____

Encarnación

La Encarnación es el misterio del Hijo de Dios, la Segunda Persona Divina de la Santísima Trinidad, , que se hizo totalmente humano, mientras seguía siendo totalmente divino.

Reino de Dios

El Reino de Dios es el reinado del amor de Dios en el mundo. El Reino de Dios no estará completo hasta que Jesús regrese en su gloria al final de los tiempos.

Mesías

Mesías es un título de Jesús que significa que Él es el Cristo, el Ungido que Dios Padre prometió enviar para salvar a las personas.

ACTIVIDAD

Imagina un mundo donde reina el amor. ¿Qué diferencias verías en el mundo? Escribe o dibuja sobre tus ideas dentro del contorno de la ciudad.

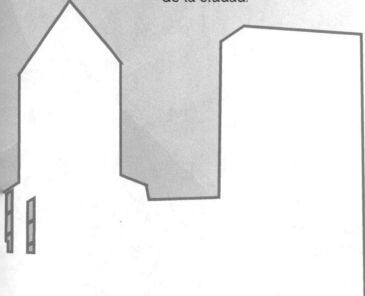

La Buena Nueva

Los Evangelios son una parte importante del Nuevo Testamento. Nos enseñan acerca de Jesús. Los Evangelios nos dicen que, cuando Jesús nació, en Belén, se les apareció un ángel a los pastores y anunció: *"[H]oy, en la ciudad de David, ha nacido para ustedes un Salvador, que es el Mesías y el Señor"* (LUCAS 2:11). ¡Ésta era una buena nueva para todas las personas!

La palabra hebrea, *mesías* significa "ungido". Jesús es el **Mesías**, o el Cristo, el Salvador que Dios prometió a su pueblo. Jesús es el Ungido porque Dios Padre lo envió a Él, su único Hijo, para que salvara del pecado a todas las personas. El amor incondicional de Dios llega incluso al corazón de los que, sin culpa alguna, no conocen el Evangelio, pero buscan a Dios sinceramente. La gracia de Dios los lleva a cumplir su voluntad siguiendo su conciencia y eligiendo buenas acciones.

La misión de Jesús

Jesús vino a traernos el **Reino de Dios**. Es el reinado del amor de Dios en el mundo. El Reino de Dios estará completo al final de los tiempos.

El Pueblo elegido de Dios del Antiguo Testamento, los israelitas, usaban la palabra SEÑOR para Dios. Llamamos "Señor" a Jesús porque Él es verdaderamente Dios, que trae el Reino.

Jesús dio signos del Reino a través de sus actos, en especial cuando realizaba milagros, curaba a las personas o perdonaba a los pecadores. Sus milagros eran signos del amor y el poder de Dios. Muchas personas se convirtieron en seguidores, o discípulos de Jesús. Hoy los discípulos de Jesús son los miembros de la Iglesia. Todos somos llamados a ser signos del amor de Dios por los demás.

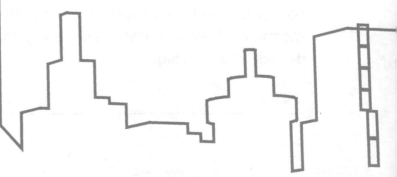

The Good News

The Gospels are an important part of the New Testament. They teach us about Jesus. The Gospels tell us that when Jesus was born in Bethlehem, an angel appeared to shepherds and announced. *"For today in the city of David, a savior has been born for you who is Messiah and Lord"* (LUKE 2:11). This was good news for all people!

The Hebrew word for *messiah* means "anointed one." Jesus is the **Messiah**, or the Christ, the Savior God promised for his people. Jesus is the Anointed One because God the Father sent him, his only Son, to save all people from sin. God's unconditional love can even touch the hearts of those who, through no fault of their own, do not know the Gospel but still seek God sincerely. God's grace can move them to do his will by following their consciences and choosing good actions.

The Mission of Jesus

Jesus came to bring the **Kingdom of God**. It is the reign of God's love in the world. The Kingdom of God will fully come about at the end of time.

God's Chosen People in the Old Testament, the Israelites, used the word LORD for God. We call Jesus "Lord" because he is truly God, who brings about the Kingdom.

Jesus gave signs of the Kingdom through his actions, especially when he performed miracles, healed others, and forgave sinners. His miracles were signs of God's love and power. Many people became followers, or disciples, of Jesus. Members of the Church are Jesus' disciples today. We are all called to be signs of God's love for others.

 ACTIVITY Imagine a world where love reigns. What differences would you see in the world? Write or draw your ideas on the city skyline.

La Muerte y Resurrección de Jesús

Muchos dirigentes religiosos y políticos estaban enfadados porque Jesús enseñaba y curaba en nombre de Dios. Les preocupaba que llegara a ser más poderoso que ellos. Así, algunos de estos líderes arrestaron a Jesús, lo enjuiciaron y lo sentenciaron a morir en una cruz de madera. Esta forma de castigo se llama *crucifixión*.

Como Jesús nos amaba, estaba dispuesto a morir por nosotros. Cargó su cruz hasta el Calvario, un lugar cercano a Jerusalén donde crucificaban a los criminales. Los soldados romanos lo clavaron en la cruz. Incluso en la cruz, Jesús estaba lleno de amor. Rezaba: *"Padre, perdónalos, porque no saben lo que hacen"* (Lucas 23:34). Jesús murió para salvar del pecado a todas las personas y para traer el Reino de Dios al mundo.

Después de que Jesús murió, lo enterraron en un sepulcro. Al tercer día de su Muerte, Jesús resucitó de entre los muertos. Cuarenta días después, ascendió a su Padre en el Cielo. Por medio de su Muerte, Resurrección y Ascensión, Jesús hizo posible la salvación para todos los que creen en Él. Como Jesús, nosotros también podemos resucitar a una nueva vida. Podemos compartir la vida eterna con Dios. Esta es la promesa que Dios nos hace. Celebramos la Resurrección de nuestro Señor Jesús el Domingo de Pascua y en todas las celebraciones de la Misa.

ACTIVIDAD Aprende dos palabras con que Jesús se describe y lo que nos enseña sobre la vida eterna. Usa tu Biblia y busca Juan 11:25–26. Copia el pasaje de la Sagrada Escritura en estos renglones.

_____

_____

_____

_____

The Death and Resurrection of Jesus

Many religious and political rulers were angry that Jesus taught and healed in God's name. They worried that he would become more powerful than they were. So some of these leaders had Jesus arrested, put on trial, and sentenced to die on a wooden cross. This form of punishment is called *crucifixion.*

Because Jesus loved us, he was willing to suffer death for our sake. He carried his cross to Calvary, the place near Jerusalem where criminals were crucified. Roman soldiers nailed Jesus to the cross. Even on the cross, Jesus was filled with love. He prayed, *"Father, forgive them, they know not what they do"* (Luke 23:34). Jesus died to save all people from sin and to bring about God's Kingdom in the world.

After his death, Jesus was buried in a tomb. On the third day after his Death, Jesus was raised from the dead. Forty days later, he ascended to his Father in Heaven. By his Death, Resurrection and Ascension, Jesus makes possible salvation for all who believe in him. Like Jesus, we too can rise to new life. We can share eternal life with God. This is God's promise to us. We celebrate the Resurrection of our Lord Jesus on Easter Sunday and at every celebration of the Mass.

Catholics Believe

Pasch means "passing over." Jesus passed over to his Father by his Death and Resurrection. The Church calls Jesus' passion, Death, Resurrection and glorious Ascension into Heaven, the Paschal Mystery. We celebrate this mystery in the Mass.

ACTIVITY Learn two words Jesus uses to describe himself and what he teaches us about eternal life. Use your Bible to look up John 11:25–26. Copy the Scripture passage on the lines.

whoever belives in me
will

En la Liturgia de la Palabra de la Misa, oímos proclamar la Palabra de Dios. Durante la Segunda Lectura, a menudo escuchamos pasajes de una de las cartas de Pablo. Este mensaje nos ayuda a ser mejores seguidores de Jesús.

Pablo, el misionero de todos

Durante la época posterior a la muerte de Jesús, había un ciudadano romano judío llamado Saulo, que odiaba a los cristianos y los perseguía. Un día, iba camino a la ciudad de Damasco para arrestar a algunos de ellos.

Mientras iba de camino, ya cerca de Damasco, lo envolvió de repente una luz que venía del cielo, y cayó al suelo. Oyó una voz que le decía: "Saulo, Saulo, ¿por qué me persigues?" Preguntó él: "¿Quién eres tú, señor?" Y él respondió: "Yo soy Jesús, a quien tú persigues. Ahora levántate y entra en la ciudad. Allí se te dirá lo que tienes que hacer."

Al levantarse del suelo, no veía nada, estaba ciego. Tuvieron que guiarlo hasta la ciudad. Tres días después, el Señor envió a Ananías, uno de sus discípulos, para que curara a Saulo. Entonces, Ananías le impuso las manos a Saulo y le dijo: "El Señor Jesús me ha enviado para que recobres la vista y quedes lleno del Espíritu Santo".

Al instante, Saulo pudo ver otra vez. Fue bautizado y pronto empezó a predicar que Jesús era el Hijo de Dios y el Mesías.

BASADO EN HECHOS DE LOS APÓSTOLES 9:3–20.

Cuando llegó el día de Pentecostés, estaban todos reunidos en el mismo lugar. De repente vino del cielo un ruido, como el de una violenta ráfaga de viento, que llenó toda la casa donde estaban, y aparecieron unas lenguas como de fuego que se repartieron y fueron posándose sobre cada uno de ellos. Todos quedaron llenos del Espíritu Santo y comenzaron a hablar en otras lenguas, según el Espíritu les concedía que se expresaran

HECHOS DE LOS APÓSTOLES 2:1–4

The Road to Damascus from the Story of Paul (El camino a Damasco, adaptación del relato de Pablo)
por Clive Uptton (1911-2006)

¿De qué manera era San Pablo un seguidor fiel de Jesús?

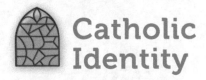

Catholic Identity

In the Liturgy of the Word at Mass, we hear the Word of God proclaimed. During the Second Reading, we often hear passages from one of Paul's letters. His messages help us to be better followers of Jesus.

Paul, the Missionary to All

During the time after Jesus' death, there was a Jewish Roman citizen named Saul. He hated Christians and persecuted them. One day, Saul was on his way to a city named Damascus to arrest some Christians.

On his journey, as he was nearing Damascus, a light from the sky suddenly flashed around him. He fell to the ground and heard a voice saying to him, "Saul, Saul, why are you persecuting me?" He said, "Who are you, sir?" The reply came, "I am Jesus, whom you are persecuting. Now get up and go into the city and you will be told what you must do."

When Saul got up, he could not see. He had to be led into the city. Three days later, the Lord sent Ananias, one of Jesus' disciples, to heal Saul. So he laid hands on Saul. Ananias said, "I am here to help you recover your sight and you will be filled with the Holy Spirit."

Immediately, Saul could see again. He was baptized, and soon began to preach that Jesus is the Son of God and the Messiah.

BASED ON ACTS OF THE APOSTLES 9:8–20.

When the time for Pentecost was fulfilled, they were all in one place together. And suddenly there came from the sky a noise like a strong driving wind, and it filled the entire house in which they were. Then there appeared to them tongues as of fire, which parted and came to rest on each one of them. And they were all filled with the holy Spirit and began to speak in different tongues, as the Spirit enabled them to proclaim.

ACTS OF THE APOSTLES 2:1–4

The Road to Damascus from the Story of Paul retold by Clive Uptton (1911-2006)

How was Saint Paul a faithful follower of Jesus?

YO SIGO A JESÚS

Jesús es el Hijo de Dios, el Salvador que vino a traer el Reino de Dios. Jesús te muestra cómo puedes ser un signo del amor Dios para los demás. Quiere que sigas su ejemplo de amor.

ACTIVIDAD

¿Qué puedes hacer para seguir el ejemplo de Jesús?

En casa, puedo

_____

_____

En la escuela, puedo

_____

_____

Con mis amigos, puedo:

_____

_____

Mi elección de fe

Esta semana actuaré como Jesús lo haría. Yo voy a

_____

_____

_____

Te adoramos, oh Cristo, y te bendecimos porque por tu santa Cruz redimiste al mundo. Amén.

Jesus is the Son of God, the Savior who came to bring about the Kingdom of God. Jesus shows you how to be a sign of God's love to others. He wants you to follow his example of love.

ACTIVITY

What can you do to follow the example of Jesus?

At home, I can: watch TV

_____

_____

At school, I can:

_____

_____

With my friends, I can:

_____

_____

My Faith Choice

This week I will act as Jesus would. I will:

_____

_____

_____

We adore you, O Christ, and we bless you. Because by your holy Cross you have redeemed the world. Amen.

PARA RECORDAR

1. Jesucristo es verdadero Dios y verdadero hombre. Vino a traernos el Reino de Dios.

2. Jesús murió para salvar del pecado a todas las personas.

3. Jesús resucitó de entre los muertos para que nosotros podamos compartir la vida eterna con Dios en el Cielo.

Completa el crucigrama.

Verticales

1. El reinado del amor de Dios en el mundo
3. El Hijo de Dios, el Mesías y Salvador

Horizontales

2. Misterio de Jesús, Hijo de Dios hecho hombre
4. La Pasión, Resurrección y gloriosa Ascensión de Jesús
5. La relación eterna establecida por la Muerte y Resurrección de Jesús

El Padre Nuestro

Jesús enseñó a los discípulos a rezar el Padre Nuestro. Es la oración perfecta. Apréndela y luego rézala junto con tu clase.

ORACIÓN	EXPLICACIÓN
Padre nuestro, que estás en el cielo, santificado sea tu Nombre;	Alabamos a Dios y decimos que es santo.
venga a nosotros tu reino; hágase tu voluntad en la tierra como en el cielo.	Pedimos que el plan de Dios para el mundo, el reinado del amor, se complete.
Danos hoy nuestro pan de cada día;	Pedimos a Dios que nos dé las cosas que realmente necesitamos para ser felices.
perdona nuestras ofensas, como también nosotros perdonamos a los que nos ofenden;	Rezamos por el perdón y pedimos a Dios que nos ayude a perdonar a los demás.
no nos dejes caer en la tentación, y líbranos del mal. Amén.	Rezamos para que Dios esté con nosotros si sentimos la tentación de dar la espalda a su amor.

CHAPTER REVIEW

Complete the crossword puzzle.

Down

1. The reign of God's love in the world
3. The Son of God, the Messiah and Savior

Across

2. Mystery of Jesus, the Son of God becoming man
4. The Passion, Resurrection, and glorious Ascension of Jesus
5. The everlasting relationship established by Jesus' Death and Resurrection

1. Jesus Christ is true God and true man. He came to bring about the Kingdom of God.

2. Jesus suffered death to save all people from sin.

3. Jesus rose from the dead so that we can share eternal life with God in Heaven.

The Lord's Prayer

Jesus taught the disciples to pray the Our Father. It is the perfect prayer. Learn about it, then pray it together with your class.

PRAYER	EXPLANATION
Our Father, who art in heaven, hallowed be thy name;	We praise God and say that he is holy.
thy kingdom come; thy will be done on earth as it is in heaven.	We ask that God's plan for the world, the rule of love, will be completed.
Give us this day our daily bread;	We ask God to give us the things we truly need to be happy.
and forgive us our trespasses as we forgive those who trespass against us;	We pray for forgiveness and ask God to help us to forgive others.
and lead us not into temptation, but deliver us from evil. Amen.	We pray that God will be with us when we are tempted to turn away from his love.

Con mi familia

Esta semana...

En el capítulo 2, "Creemos en Jesucristo", su niño aprendió que:

- La Encarnación es el misterio del Hijo de Dios hecho hombre.

- A través de los profetas, Dios prometió enviar un salvador. Mesías es un título de Jesús que significa que Él es Cristo, el Ungido que Dios Padre prometió enviar para salvar a las personas.

- Jesús vino a traer el Reino de Dios, el reinado del amor de Dios en el mundo.

- Jesús murió en la cruz para salvar del pecado a todas las personas. Jesús resucitó de entre los muertos para que nosotros podamos compartir la vida eterna con Dios para siempre.

- El Misterio Pascual es la pasión, Muerte, Resurrección y gloriosa Ascensión de Jesús.

- Con la Muerte y Resurrección de Jesús, se estableció una Alianza nueva y eterna.

Para saber más sobre otras enseñanzas de la Iglesia, consulten el *Catecismo de la Iglesia Católica,* 422–451, 456–478, 484–507, 571–664, y el *Catecismo Católico de los Estados Unidos para los Adultos,* páginas 89–100.

■ Vivimos como discípulos

El hogar cristiano con la familia es una escuela de discipulado. Elijan una de las siguientes actividades para hacer en familia, o creen una actividad similar ustedes mismos.

- **El amor, un Poder de los discípulos,** es la más importante de todas las virtudes. Jesús dijo que debemos amarnos los unos a los otros como Él nos ama. ¿Cómo expresa su familia el amor de los unos por los otros?

- En este capítulo, su niño aprendió varios nombres y títulos de Jesús. El nombre es muy importante para nuestra identidad. Conversen sobre el significado del nombre de cada miembro de la familia.

- Esta semana, cuando participen en la Misa, busquen el crucifijo y el cirio pascual. Hablen de cómo nos recuerdan éstos el Misterio Pascual.

■ Compartir la Palabra de Dios

Inviten a cada miembro de la familia a compartir lo que sabe acerca de los relatos del Evangelio sobre el nacimiento, la pasión, la Muerte, la Resurrección y la Ascensión de Jesús. Comenten la obra para la que Jesús fue enviado y cómo podemos seguir su ejemplo de amor en nuestra vida diaria.

■ Nuestro viaje espiritual

El Padre Nuestro es el cimiento de nuestra vida de oración cristiana. Ayuden a su niño a aprenderlo de memoria. Comenten con él el significado de cada frase del Padre Nuestro usando la página 88. Recuerden que rezamos el Padre Nuestro cada semana en la Misa. Establezcan la práctica familiar de rezar el Padre Nuestro juntos todos los días.

Para hallar más ideas sobre las maneras en que su familia puede vivir como discípulos de Jesús, visiten

seanmisdiscipulos.com

With My Family

This Week . . .

In Chapter 2, "We Believe in Jesus Christ," your child learned:

▶ The Incarnation is the mystery of the Son of God becoming man.

▶ Through the prophets, God promised to send a savior.   is the title for Jesus that means he is Christ, the Anointed One, whom God promised to send to save all people.

▶ Jesus came to bring about the Kingdom of God, the reign of God's love in the world.

▶ Jesus died on the cross to save all people from sin. He rose from the dead so that we can share eternal life forever with God.

▶ The Paschal Mystery is the passion, Death, Resurrection, and glorious Ascension of Jesus.

▶ Through Jesus' Death and Resurrection, the new and everlasting Covenant was established.

For more about related teachings of the Church, see the *Catechism of the Catholic Church*, 422–451, 456–478, 484–507, 571–664, and the *United States Catholic Catechism for Adults*, pages 89–100.

◼ We Live as Disciples

The Christian home and family is a school of discipleship. Choose one of the following activities to do as a family or design a similar activity on your own.

▶ **Love, a Disciple Power**, is the greatest of all the virtues. Jesus said that we are to love one another as he loves us. How does your family express their love for one another?

▶ In this chapter your child learned several names and titles for Jesus. Names are very important to our identity. Talk about the meaning of each family member's name.

▶ When you participate during Mass this week, look for the Crucifix and the Paschal candle. Talk about how these remind us of the Paschal Mystery.

◼ Sharing God's Word

Invite each member of the family to share what they know about the Gospel accounts of Jesus' birth, passion, Death, Resurrection, and Ascension. Discuss the work Jesus was sent to do and how we can follow his example of love in our daily lives.

◼ Our Spiritual Journey

The Lord's Prayer, is the bedrock prayer of our Christian prayer life. Help your child to learn it by heart. Discuss with your child the meaning of each phrase from the Our Father, using page 89. Recall that we pray the Lord's Prayer each week at Mass. Make it a family practice to pray the Our Father together on a daily basis.

For more ideas on ways your family can live as disciples of Jesus, visit BeMyDisciples.com

Lo que vendrá

En este capítulo el Espíritu Santo te invita a

- ✓ **Investigar** qué significa que te guíe el Espíritu Santo.

- ✓ **Descubrir** la obra del Espíritu Santo en la Iglesia.

- ✓ **Decidir** cómo mostrar a los demás que el Espíritu Santo está contigo.

Creemos en...

El Espíritu Santo

¿Cómo crees que se siente cada persona de la fotografía?

Cada vez que una persona muestra entusiasmo, alegría o preocupación por los demás, vemos evidencias de la presencia del Espíritu Santo.

... el Espíritu del Señor repleta el universo...

SABIDURÍA 1:7

¿Qué ejemplos puedes dar de que el "espíritu del Señor" está presente en el mundo que te rodea?

Chapter 3

We Believe in . . .
The Holy Spirit

 How do you think each person in the pictures is feeling?

Whenever people show enthusiasm, joy, or care for others, we are seeing evidence of the Holy Spirit's presence.

The spirit of the LORD fills the world.

WISDOM 1:7

 What examples can you offer that the "spirit of the LORD" is present in the world around you?

Looking Ahead

In this chapter the Holy Spirit invites you to

- **Explore** what it means to be guided by the Holy Spirit.
- **Discover** the work of the Holy Spirit in the Church.
- **Decide** how to show others that the Holy Spirit is with you.

La promesa del Espíritu Santo

En la Última Cena, Jesús sabía que sus discípulos tenían miedo. No querían que Él muriera. No querían quedarse solos después de que Él muriera. Les hizo una promesa:

En adelante el Espíritu Santo, el Intérprete que el Padre les va a enviar en mi Nombre, les enseñará todas las cosas y les recordará todo lo que yo les he dicho. [...] Que no haya en ustedes angustia ni miedo.

JUAN 14:26, 27

Jesús les prometió que Dios Padre les enviaría un Intérprete, el Espíritu Santo. Un *intérprete* es alguien que te apoya y te guía. Los discípulos nunca estarían solos. El Espíritu Santo estaría siempre con ellos como su protector, su maestro y su guía para que siguieran las enseñanzas de Jesús.

La venida del Espíritu Santo

Cincuenta días después de la Resurrección de Jesús, la ciudad de Jerusalén estaba repleta de gente. Era la fiesta de **Pentecostés**. Los peregrinos judíos habían llegado de muchos lugares para agradecer a Dios por la cosecha del año.

Cuando llegó el día de Pentecostés, estaban todos reunidos en el mismo lugar. De repente vino del cielo un ruido, como el de una violenta ráfaga de viento, que llenó toda la casa donde estaban, y aparecieron unas lenguas como de fuego que se repartieron y fueron posándose sobre cada uno de ellos. Todos quedaron llenos del Espíritu Santo y comenzaron a hablar en otras lenguas, según el Espíritu les concedía que se expresaran.

HECHOS DE LOS APÓSTOLES 2:1–4

 ¿A quién conoces que esté lleno del Espíritu Santo?

The Promise of the Holy Spirit

At the Last Supper, Jesus knew his disciples were afraid. They did not want him to die. They did not want to be left alone after he died. He made this promise to them,

The Advocate, the holy Spirit that the Father will send in my name—he will teach you everything and remind you of all that [I] told you . . . Do not let your hearts be troubled or afraid.

JOHN 14:26, 27

Jesus promised that God the Father would send them the Advocate, the Holy Spirit. An *advocate* is one who stands by you and guides you. The disciples would never be alone. The Holy Spirit would always be with them as their helper, teacher, and guide in following the teachings of Jesus.

The Coming of the Holy Spirit

Fifty days after Jesus' Resurrection, the city of Jerusalem was crowded. It was the feast of **Pentecost**. Jewish pilgrims had come from many places to thank God for the year's harvest.

When the time for Pentecost was fulfilled, they were all in one place together. And suddenly there came from the sky a noise like a strong driving wind, and it filled the entire house in which they were. Then there appeared to them tongues as of fire, which parted and came to rest on each one of them. And they were all filled with the holy Spirit and began to speak in different tongues, as the Spirit enabled them to proclaim.

ACTS OF THE APOSTLES 2:1–4

 Who do you know who is filled with the Holy Spirit?

conciencia

La conciencia es el don de Dios que forma parte de cada uno y que guía a cada persona para saber lo que está bien o está mal y para juzgar cómo actuar moralmente bien.

Santísima Trinidad

El misterio de la Santísima Trinidad es que Dios es Uno en Tres Personas Divinas: Dios Padre, Dios Hijo, Dios Espíritu Santo; es la creencia principal de la fe cristiana.

Pentecostés

El día de Pentecostés, cincuenta días después de la Resurrección, es cuando el Espíritu Santo vino a los discípulos como Jesús lo había prometido.

El Espíritu Santo en acción

La promesa de Jesús se hizo realidad. El Espíritu Santo se posó sobre los Apóstoles que estaban reunidos en el lugar. Llenos del don del Espíritu Santo, Pedro y los demás Apóstoles salieron a predicar acerca de Jesús. Mucha gente empezó a creer en Jesucristo y se bautizó. El Espíritu Santo ayudó a los Apóstoles a enseñar acerca de Jesús.

El Espíritu Santo nos ayuda hoy a hacer lo mismo. En el Bautismo, recibimos al Espíritu Santo cuando nos convertimos en hijos adoptivos de Dios. En la Confirmación, recibimos al Espíritu Santo para que nos ayude a instruir a los demás acerca de Jesús. El Espíritu Santo nos da la gracia santificante, el don de la vida de Dios en nosotros. El Espíritu Santo guía tu **conciencia** para ayudarte a juzgar si algo está bien o mal. Puedes usar tu conciencia para hacer buenas elecciones.

La Santísima Trinidad

Creemos que Dios es una en Tres Personas Divinas: Dios Padre, Dios Hijo, Dios Espíritu Santo. Este misterio se llama **Santísima Trinidad**. Es la creencia más profunda e importante de la fe católica.

A través de su plan de Creación y Salvación, Dios se nos reveló como Padre todopoderoso, la Primera Persona de la Santísima Trinidad. En Jesucristo nuestro Salvador, Dios se nos reveló como Dios Hijo, la Segunda Persona de la Santísima Trinidad. Dios Espíritu Santo es la Tercera Persona de la Santísima Trinidad, que nos santifica, o nos hace santos, mediante su presencia habitando en nuestro interior.

 **ACTIVIDAD** Completa los espacios en blanco con las letras del nombre de cada persona de la Santísima Trinidad.

The Holy Spirit at Work

Jesus' promise came true. The Holy Spirit came upon the Apostles who were among those gathered in one place. Filled with the gift of the Holy Spirit, Peter and the other Apostles went out and preached about Jesus. Many people came to believe in Jesus Christ and were baptized. The Holy Spirit helped the Apostles teach people about Jesus.

The Holy Spirit helps us to do the same today. In Baptism, we receive the Holy Spirit when we become God's adopted children. In Confirmation, we receive the Holy Spirit to help us tell others about Jesus. The Spirit gives us sanctifying grace, the gift of God's life within us. The Holy Spirit guides your **conscience** to help you judge if something is right or wrong. You can use your conscience to make good choices.

The Holy Trinity

We believe that God is one in Three Divine Persons—God the Father, God the Son, God the Holy Spirit. This mystery is called the **Holy Trinity**. It is the deepest and central belief of the Catholic faith.

Through his plan of Creation and Salvation, God has revealed himself to us as the Father almighty, the First Person of the Holy Trinity. In Jesus Christ our Savior, God has revealed himself to us as God the Son, the Second Person of the Holy Trinity. God the Holy Spirit is the Third Person of the Holy Trinity, who sanctifies us, or makes us holy, through his indwelling presence.

ACTIVITY Fill in the blanks to spell out the name of each person of the Holy Trinity.

FAITH VOCABULARY

conscience
Conscience is a gift from God that is part of every person, which guides the individual to know what is right and wrong, and to judge how to act morally good.

Holy Trinity
The mystery of the Holy Trinity is that God is one in three Divine Persons: God the Father, God the Son, God the Holy Spirit; the central belief of the Christian faith.

Pentecost
The day of Pentecost, fifty days after the Resurrection, is when the Holy Spirit came to the disciples as Jesus had promised.

Los dones del Espíritu Santo

Con el tiempo, los cristianos identificaron siete dones especiales que el Espíritu Santo nos da para ayudarnos a vivir fieles a la voluntad de Dios. Estudia la tabla para aprenderlos.

Los dones del Espíritu Santo	Cómo nos ayudan los dones
Sabiduría	El Espíritu Santo nos ayuda a saber cuál es el plan de Dios para nosotros y cómo quiere que vivamos.
Entendimiento	El Espíritu Santo nos ayuda a saber mejor quiénes somos para poder profundizar nuestra relación con Dios.
Consejo (Buen Juicio)	El Espíritu Santo nos ayuda tomar buenas decisiones.
Fortaleza (Valor)	El Espíritu Santo nos ayuda a ser fuertes cuando tenemos que enfrentar desafíos.
Ciencia	El Espíritu Santo nos ayuda reflexionar sobre el misterio de Dios y los misterios de la fe católica.
Piedad (Reverencia)	El Espíritu Santo nos ayuda a mostrar amor por Dios Padre mediante el culto y la oración.
Temor de Dios (Admiración y veneración)	El Espíritu Santo nos ayuda a estar llenos de admiración y agradecimiento por todo lo que Dios ha hecho por nosotros.

ACTIVIDAD Elije uno de los dones del Espíritu Santo. Piensa en una oportunidad en que este don te ayudó. Escribe en los renglones siguientes lo que sucedió y cómo te ayudó el don.

_____

_____

_____

_____

Saint Thérèse, the Little Way

When Thérèse was fifteen, she became a Carmelite nun. She wanted to spend her life doing God's will, even though everyone said she was too young to make such a big decision.

Thérèse loved her new life. She washed floors, set tables, and folded laundry. Thérèse made a prayer out of her simple chores. She wanted to please God in everything she did.

Thérèse treated people with the same care. She read to the older nuns and wrote letters for them. She tried always to be patient in all things. She did the smallest jobs with love. Thérèse called this her "Little Way."

Sister Thérèse used all the gifts that the Holy Spirit gave her to serve God and others. Today we honor Thérèse as a saint. We can follow her example by trying to do all the little things well. We can use the gifts the Holy Spirit gives us to praise God.

Catholics Believe

The Holy Spirit guides us in understanding the teaching of Jesus Christ and following God's Commandments. The Holy Spirit helps the leaders of the Church to teach accurately and clearly the truths of the faith.

 What are some of the little ways in which you can praise God on a daily basis?

YO SIGO A JESÚS

El Espíritu Santo ayudó a los discípulos a enseñar acerca de Jesús. El Espíritu Santo te ayuda hoy a ti a hacer lo mismo. Con la ayuda del Espíritu Santo, puedes hablar de Jesús a los demás mediante tus palabras amorosas y tus buenas acciones.

ACTIVIDAD En los siguientes espacios en blanco, crea una historia sobre una persona joven que comparte la Buena Nueva de Jesús a través de palabras y acciones. Dibuja aquí tres escenas de la historia.

Mi elección de fe

Esta semana puedo mostrar que el Espíritu Santo está siempre conmigo. Yo voy a

_____

_____

_____

Invita al Espíritu Santo a llenar tu corazón. Pide al Espíritu Santo que te ayude y te guíe hoy y siempre para ser un fiel discípulo de Jesús.

The Holy Spirit helped the disciples teach people about Jesus. The Spirit helps you to do the same today. With the help of the Holy Spirit, you can tell others about Jesus with your kind words and through your good actions.

ACTIVITY In the space below, create a story about a young person who shares the Good News about Jesus through words and actions. Draw three scenes from your story here.

My Faith Choice

This week I can show that the Holy Spirit is always with me. I will:

_____

_____

_____

Invite the Holy Spirit into your heart. Ask the Spirit to help and guide you today and always to be a faithful disciple of Jesus.

PARA RECORDAR

1. El Espíritu Santo es nuestro protector, maestro y guía.

2. Tu conciencia te guía para distinguir el bien del mal y para hacer buenas elecciones.

3. La Santísima Trinidad es el misterio de Un Dios en Tres Personas Divinas.

Escribe ✔ antes de cada oración verdadera. Como ayuda, repasa el capítulo. Corrige los enunciados falsos para hacerlos verdaderos.

✓ 1. En la Última Cena, Jesús prometió que Dios enviaría al Espíritu Santo.

✗ 2. El Espíritu Santo se posó sobre María y sobre los discípulos en Navidad.

___ 3. El Espíritu Santo guía nuestra conciencia.

___ 4. Dios son Tres en Una persona.

___ 5. El don del consejo nos ayuda a tomar buenas decisiones.

Invocamos al Espíritu Santo

Lee en silencio las palabras de esta oración. Reflexiona en cómo ayuda el Espíritu Santo a la Iglesia y a los creyentes para "renovar la faz de la tierra". Luego reza la oración junto con tu clase.

¡Ven oh Santo Espíritu!, llena los corazones

de tus fieles

y enciende en ellos

el fuego de tu amor.

Envía tu Espíritu y

serán creados

y renovarás

la faz de la tierra. Amén.

CHAPTER REVIEW

Put a ✔ before each true sentence. Look back through the chapter to help you. Correct the false statements so that they become true.

✔ 1. At the Last Supper, Jesus promised that God would send the Holy Spirit.

✗ 2. The Holy Spirit came to Mary and the disciples on ~~Christmas.~~ *Jesus was born* ~~Pentecost~~

✔ 3. The Holy Spirit guides our conscience.

✗ 4. God is three in one person. *One in three*

✔ 5. The gift of counsel helps us to make good decisions.

TO HELP YOU REMEMBER

1. The Holy Spirit is our helper, teacher, and guide.

2. Your conscience guides you to know right from wrong and to make good choices.

3. The Holy Trinity is the mystery of one God in three Divine Persons.

We Pray to the Holy Spirit

Read the words of this prayer silently. Reflect on how the Holy Spirit helps the Church and all believers to "renew the face of the earth." Then pray it together with your class.

Come, Holy Spirit, fill the hearts

   of your faithful.

And kindle in them the

   fire of your love.

Send forth your Spirit and

   they shall be created.

And you will renew the

   face of the earth. Amen.

105

Con mi familia

Esta semana...

En el capítulo 3, "Creemos en el Espíritu Santo", su niño aprendió que:

▶ Jesús prometió a los discípulos que el Padre enviaría al Espíritu Santo para que estuviera siempre con ellos.

▶ El Espíritu Santo vino en Pentecostés, y fue reconocido por los símbolos de viento y de fuego.

▶ El Espíritu Santo guía nuestra conciencia para ayudarnos a tomar buenas decisiones morales.

▶ En el Bautismo, recibimos el don del Espíritu Santo. En la Confirmación, el Espíritu Santo nos da siete dones especiales.

▶ La Santísima Trinidad es Un Dios en Tres Personas Divinas: el Padre, el Hijo y el Espíritu Santo.

Para saber más sobre otras enseñanzas de la Iglesia, consulten el *Catecismo de la Iglesia Católica,* 683–747, y el *Catecismo Católico de los Estados Unidos para los Adultos,* páginas 101–110.

Vivimos como discípulos

El hogar cristiano con la familia es una escuela de discipulado. Elijan una de las siguientes actividades para hacer en familia, o creen una actividad similar ustedes mismos.

▶ **El consejo, un Poder de los discípulos,** es un don del Espíritu Santo que nos ayuda a juzgar correctamente nuestra actividad diaria de acuerdo con la voluntad de Dios. Hagan una lista de las acciones de hoy que guió el Espíritu Santo.

▶ Coloquen una vela sobre la mesa cuando se reúnan para cenar. Enciendan la vela y recuerden que el fuego es un símbolo del Espíritu Santo. Tómense de las manos y agradezcan a Dios Padre por enviar al Espíritu Santo para unir a su familia.

▶ Lean el perfil de Santa Teresa del Niño Jesús de la página 100. En familia, identifiquen los Dones del Espíritu Santo que ella usaba.

Compartir la Palabra de Dios

Lean juntos Hechos de los Apóstoles 2:1–41 o lean la adaptación de la página 94. Conversen con su niño sobre un oportunidad en que el Espíritu Santo los ayudó.

Nuestro viaje espiritual

El Espíritu Santo es esencial par nuestra vida cristiana diaria. Podemos ser más conscientes d la presencia amorosa del Espíri Santo si permanecemos en calma y respiramos lentament Mientras lo hacemos, rezamos silencio: "Ven, Espíritu Santo". E posible realizar este ejercicio co frecuencia durante el día como recordatorio de que el Espíritu Santo está siempre con ustedes como Jesús prometió. Esta semana, recen una vez de esta manera en familia, antes de acostarse.

Para hallar más ideas sobre las maneras en que su familia puede vivir como discípulos de Jesús, visiten

seanmisdiscipulos.com

With My Family

This Week . . .

In Chapter 3, "We Believe in the Holy Spirit," your child learned:

- Jesus promised the disciples that the Father would send the Holy Spirit to be with them always.

- The Holy Spirit came on Pentecost, recognizable through the two symbols of wind and fire.

- The Holy Spirit guides our consciences to help us make good moral decisions.

- In Baptism, we receive the gift of the Holy Spirit. In Confirmation, the Holy Spirit gives us seven special gifts.

- The Holy Trinity is one God in three Divine Persons: Father, Son, Holy Spirit.

For more about related teachings of the Church, see the *Catechism of the Catholic Church*, 683–747, and the *United States Catholic Catechism for Adults*, pages 101–110.

We Live as Disciples

The Christian home and family is a school of discipleship. Choose one of the following activities to do as a family or design a similar activity on your own.

- **Counsel, a Disciple Power**, is a gift of the Holy Spirit that helps us judge correctly our daily activity according to God's will. List those acts of today that were guided by the Holy Spirit.

- Place a candle on your table when you gather for dinner. Light the candle, reminding everyone that fire is a symbol of the Holy Spirit. Join hands and thank God the Father for sending the Holy Spirit to unite your family.

- Read the profile on Saint Thérèse of Lisieux on page 101. As a family, identify the Gifts of the Holy Spirit she used.

Sharing God's Word

Read together Acts of the Apostles 2:1–41 or read the adaptation on page 95. Talk with your child about a time when the Spirit helped you.

Our Spiritual Journey

The Holy Spirit is essential to our daily Christian living. We can become more mindful of the Spirit's loving presence by quieting ourselves and slowly breathing in and out. As we breathe, we can pray silently, "Come, Holy Spirit." This exercise can be done frequently throughout the day as a reminder that the Holy Spirit is always with you, as Jesus promised. Pray this way once as a family this week, perhaps before bedtime.

For more ideas on ways your family can live as disciples of Jesus, visit **BeMyDisciples.com**

Capítulo 4

Lo que vendrá

En este capítulo el Espíritu Santo te invita a

- **Investigar** maneras en que los miembros de la Iglesia trabajan juntos.

- **Descubrir** más acerca del misterio de la Iglesia.

- **Decidir** cómo usar tus dones para el bien de la Iglesia.

Creemos en...
La Iglesia

¿A qué grupos perteneces? Describe estos grupos a un compañero o amigo.

Somos la Iglesia, el Pueblo de Dios. Por derecho adquirido en nuestro Bautismo, somos hijos adoptivos de Dios. Pertenecemos a la Familia de Dios. El Libro de los Salmos nos recuerda:

> ¡Entremos, agachémonos, postrémonos;
> de rodillas ante el Señor que nos creó!
> Pues él es nuestro Dios
> y nosotros el pueblo que él pastorea,
> el rebaño bajo su mano.

SALMO 95:6–7

¿De qué manera son los miembros de la Iglesia como "el rebaño bajo la mano" del Señor?

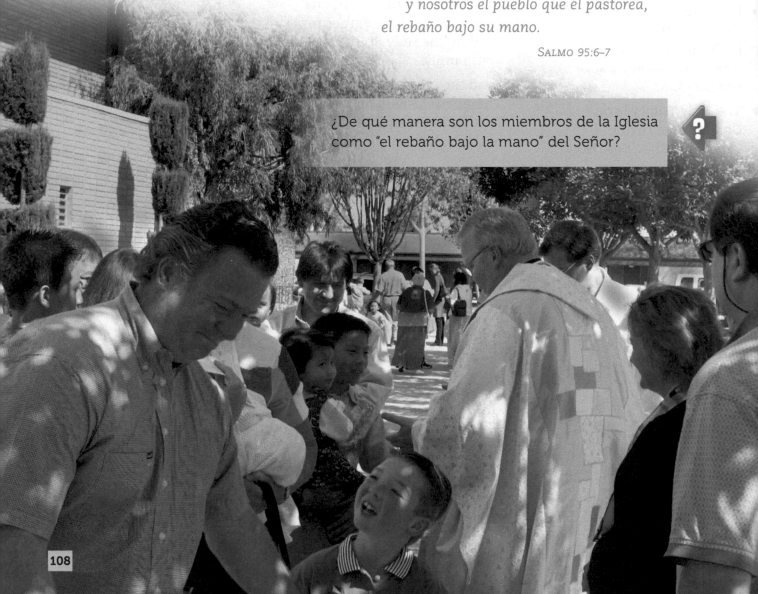

We Believe in . . .
The Church

 To which groups do you belong? Describe these groups to a classmate or friend.

Looking Ahead

In this chapter the Holy Spirit invites you to

- ✓ **Explore** ways members of the Church work together.
- ✓ **Discover** more about the mystery of the Church.
- ✓ **Decide** how to use your gifts for the good of the Church.

We are the Church, the People of God. By right of our Baptism, we are God's adoptive children. We belong to the Family of God. The Book of Psalms reminds us:

> Enter, let us bow down in worship;
>   let us kneel before the LORD who made us.
> For this is our God.
>   whose people we are,
> God's well-tended flock.
>
> PSALM 95:6–7

How are members of the Church like the Lord's "well-tended flock"?

Apóstoles

Los Apóstoles fueron los doce primeros líderes de la Iglesia. Jesús los eligió para que bautizaran y enseñaran en su nombre.

Cuerpo de Cristo

El Cuerpo de Cristo es una imagen del Nuevo Testamento para la Iglesia, que enseña que los miembros de la Iglesia son uno en Cristo, la Cabeza de la Iglesia.

Pueblo de Dios

El Pueblo de Dios es una imagen del Nuevo Testamento para la Iglesia, que enseña que Dios Padre llama a todas las personas para que sean su pueblo en Jesús, su Hijo.

Papa Benedicto XVI

Continuar la obra de Cristo

Antes de que Jesús retornara a su Padre en el Cielo, había compartido su misión con los **Apóstoles**. Les dijo que hicieran discípulos de todas las naciones. Les dijo que los bautizaran y les enseñaran todo lo que habían aprendido de Él.

Jesús puso como líder de los Apóstoles a Pedro. Dijo: *"Apacienta mis corderos"* (Juan 21:15). Pedro recordaba que Jesús se llamaba a sí mismo el Buen Pastor, que da la vida por su rebaño. Entendió que Jesús le estaba pidiendo que cuidara de su rebaño de seguidores en la Tierra. Pedro fue el primer líder de la Iglesia Católica. Hoy el papa (como Pedro) y los demás obispos (como el resto de los Apóstoles), guiados por el Espíritu Santo, conducen la Iglesia en el nombre de Jesús.

A través del Bautismo participamos en la misión sacerdotal, profética y soberana de Cristo. Esto significa que estamos llamados a continuar la obra de Cristo en la Tierra con la guía del Espíritu Santo. Todos los miembros de la Iglesia participan de esta obra. Los miembros bautizados de la Iglesia realizan la obra sacerdotal viviendo una vida virtuosa. Les hablamos de Dios a los demás, como los profetas. Nuestra obra soberana es servir a Dios, en especial sirviendo a los pobres y a los que sufren.

ACTIVIDAD Completa los tres espacios en blanco de este emblema con símbolos que muestren las tres tareas de un cristiano.

SACERDOTE

REY

PROFETA

Continuing Christ's Work

Before Jesus returned to his Father in Heaven, he shared his mission with the **Apostles**. He told them to make people from all nations his disciples. Jesus said to baptize them, and to teach them everything they had learned from him.

Jesus made the Apostle Peter the leader of the Apostles. He said, *"Feed my lambs."* (John 21:15). Peter remembered that Jesus called himself the Good Shepherd, who gave his life for his flock. Peter understood that Jesus was asking him to care for Jesus' flock of followers on Earth. Peter was the first leader of the Catholic Church. Today, the pope (like Peter) and the other bishops (like the rest of the Apostles), guided by the Holy Spirit, lead the Church in Jesus' name.

Through Baptism we participate in Christ's priestly, prophetic, and kingly mission. This means that we are called to continue the work of Christ on Earth with the guidance of the Holy Spirit. All members of the Church share in this work. Baptized members of the Church do priestly work by living holy lives. We tell others about God as prophets do. Our kingly work is to serve God, especially by serving those who are poor and suffering.

Pope Benedict XVI
Pope

ACTIVITY Fill in the three spaces on this emblem with symbols showing the three works of a Christian.

PRIEST

KING

PROPHET

Imágenes de la Iglesia

Jesús fundó la Iglesia para continuar su obra con la ayuda del Espíritu Santo. La Iglesia, entonces, es necesaria para la Salvación. Las siguientes descripciones nos dicen quiénes somos y qué hacemos como miembros de la Iglesia. Cada una de estas imágenes nos ayuda a entender el misterio de la Iglesia.

La Iglesia es el **Pueblo de Dios**. El Nuevo Testamento describe a la Iglesia como una "raza elegida" y una "nación consagrada" (1.ª Pedro 2:9). La Iglesia es el pueblo al que Dios ha reunido en Jesucristo. Estamos reunidos para conocer, amar y servir a Dios. Dios nos ha creado para que vivamos en la felicidad con Él ahora y para siempre.

La Iglesia es el **Cuerpo de Cristo**. El Bautismo nos une a Jesucristo. Él es la Cabeza de la Iglesia y nosotros, como miembros de la Iglesia, somos el Cuerpo. Los líderes de la Iglesia, los religiosos y los laicos, todos son miembros de la Iglesia. Estamos llamados a edificar el Cuerpo de Cristo para preparar la venida del Reino de Dios.

Como miembros de la Iglesia, no solo estamos unidos, o en comunión, unos con otros. También estamos unidos a todos los Santos del Cielo y a todos los que han muerto y todavía se están purificando. En conjunto, llamamos Comunión de los Santos a la relación de todas estas personas santas.

ACTIVIDAD

Elige una de las imágenes de la Iglesia. Redacta un mensaje de texto para un amigo, donde describas esa imagen de la Iglesia.

Images of the Church

Jesus founded the Church to continue his work with the help of the Holy Spirit. The Church, then, is necessary for Salvation. The following descriptions tell us who we are and what we do as members of the Church. Each of these images help us to understand the mystery of the Church.

The Church is the **People of God.** The New Testament describes the Church as a "chosen race" and "holy nation" (1 Peter 2:9). The Church is the people whom God has called together in Jesus Christ. We are called together to know, love, and serve God. God has created us to live in happiness with him now and forever.

The Church is the **Body of Christ.** Baptism joins us to Jesus Christ. He is the Head of the Church and we, as members of the Church, are the Body. Church leaders, religious, and laypeople are all members of the Church. We are called to build up the Body of Christ to prepare for the coming of God's Kingdom.

As members of the Church, we are not only joined, or in communion, with one another. We are also joined with all the Saints of Heaven, and with all who have died and are still being purified. Together, we call the relationship of all these holy people the Communion of Saints.

Catholics Believe

The Church is also called the Temple of the Holy Spirit. This image from Saint Paul reminds us that the Holy Spirit dwells within each of the baptized members and within the whole Church. The Holy Spirit is the source of the Church's life and of her unity as the one People of God.

ACTIVITY

Choose one of the images of the Church. Write a text message to a friend, describing that image of the Church.

113

Los Atributos de la Iglesia

A medida que la Iglesia crecía, registró las verdades de la fe que tomaron importancia. Estos enunciados escritos de las creencias se llaman *credos*. Un credo es un resumen de nuestra creencia como católicos. Los credos ayudan a los miembros de la Iglesia a mantenerse fieles a las enseñanzas de Jesús.

En el Credo de Nicea aprendemos los cuatro signos, o atributos de la Iglesia. Rezamos: "Creo en la Iglesia, que es una, santa, católica y apostólica".

La Iglesia es *una*. Creemos en una fe y en un Señor, y compartimos un Bautismo.

La Iglesia es *santa*. Nuestra participación en la vida de la Santísima Trinidad es la fuente de la santidad de la Iglesia.

La Iglesia es *católica*. La Iglesia ayuda a todas las personas y las recibe en la familia de la Iglesia de Dios.

La Iglesia es *apostólica*. Nuestra fe se remonta al tiempo de los Apóstoles. El Papa y otros obispos son los sucesores de los Apóstoles. Participan de la responsabilidad que Jesús les dio a los primeros Apóstoles para enseñar en su nombre y para hacer a todos sus discípulos.

ACTIVIDAD Traza una línea que una los enunciados de la izquierda con la oración de la derecha para mostrar cómo vivimos cada atributo de la Iglesia.

La Iglesia es una.	Trabajamos para ser más amorosos y poder perdonar, como Dios.
La Iglesia es santa.	Seguimos las enseñanzas de nuestros obispos y del papa.
La Iglesia es católica.	Profesamos nuestro credo en la Eucaristía de los domingos.
La Iglesia es apostólica.	Tratamos a todos con respeto.

The Marks of the Church

As the Church grew, recording the truths of the faith became important. These written statements of belief are called *creeds*. A creed is a summary of what we believe as Catholics. Creeds help members of the Church remain faithful to the teachings of Jesus.

In the Nicene Creed we learn that there are four signs, or marks, of the Church. We pray, "I believe in one, holy, catholic, and apostolic Church."

The Church is *one*. We believe in one faith and one Lord, and we share one Baptism.

The Church is *holy*. Our sharing in the life of the Holy Trinity is the source of the Church's holiness.

The Church is *catholic*. The Church reaches out to all people and welcomes them into the family of God's Church.

The Church is *apostolic*. We trace our faith back to the Apostles. The Pope and other bishops are the successors of the Apostles. They share in the responsibility Jesus gave to the first Apostles to teach in his name and make all people his disciples.

ACTIVITY Draw a line to match the statements on the left with the sentence on the right that shows how we live each mark of the Church.

The Church is one.	We work to become more loving and forgiving like God.
The Church is holy.	We follow the teachings of our bishops and the pope.
The Church is catholic.	We profess our creed at Sunday Eucharist.
The Church is apostolic.	We treat everyone with respect.

115

Identidad católica

El Papa es el líder y maestro principal de la Iglesia Católica. El Espíritu Santo guía al Papa para que la Iglesia se mantenga siempre fiel a las enseñanzas de Jesús. Los obispos, junto con el Papa, comparten la responsabilidad de enseñar y dirigir en el nombre de Jesús. La Iglesia Católica es la Iglesia de Cristo en toda su plenitud. Sin embargo, pueden encontrarse elementos de verdad y santidad fuera de ella. La Iglesia es conducida por el Papa y los obispos.

Detalle del tríptico de los *Lenceros*, predela que muestra a San Pedro predicando, por Fra Angelico (Guido di Pietro)

¿De qué manera puedes parecerte a San Pedro y ayudar a edificar la Iglesia?

Personas de fe

El pastor de la Iglesia

Un día, Jesús preguntó a sus discípulos si sabían quién era Él:

Pedro contestó: "Tú eres el Mesías, el Hijo del Dios vivo". Jesús le replicó: "Feliz eres, Simón Barjona, porque esto no te lo ha revelado la carne ni la sangre, sino mi Padre que está en los Cielos. Y ahora yo te digo: Tú eres Pedro (o sea Piedra), y sobre esta piedra edificaré mi Iglesia; los poderes de la muerte jamás la podrán vencer."

Mateo 16:16–18

Pedro no era un hombre perfecto. Huyó cuando arrestaron a Jesús. Después regresó al huerto de donde se habían llevado a Jesús. La gente le dijo: "Tú también estabas con Jesús". Pedro contestó enojado: "Yo no conozco a ese hombre". Y dándose cuenta de qué vergonzoso era negar que conocía a Jesús, lloró con amargura (consulta Mateo 26:69–75).

Jesús perdonó a Pedro y lo ayudó a ser un gran líder de la Iglesia. Pedro siguió el ejemplo de Jesús como un buen pastor. Ayudó a que la Iglesia primitiva trabajara unida en el amor.

Por último, lo arrestaron y lo mataron por su fe. Sus enemigos creían que si él moría, la Iglesia también moriría. Pero el Espíritu Santo y el liderazgo de Pedro lo impidieron. Pedro había guiado a muchas personas a la manera de vivir de Jesús.

La vida de San Pedro nos muestra que Dios tiene grandes planes para todos nosotros. No nos abandona, aunque hagamos algo malo. San Pedro nos enseña a usar nuestros talentos y dones para servir al Señor y ayudar a edificar la Iglesia.

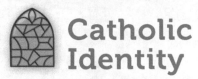
The Shepherd of the Church

One day, Jesus asked his disciples if they knew who he was:

Simon Peter said in reply, "You are the Messiah, the Son of the living God." Jesus said to him in reply, "Blessed are you, Simon son of Jonah. For flesh and blood has not revealed this to you, but my heavenly Father. And so I say to you, you are Peter, and upon this rock I will build my church, and the gates of the netherworld shall not prevail against it."

Matthew 16:16–18

The Pope is the chief leader and teacher of the Catholic Church. The Holy Spirit guides each pope so that the Church can always remain true to the teachings of Jesus. The bishops, united with the Pope, share the responsibility to teach and lead in Jesus' name. This Church of Christ in all its fullness is found in the Catholic Church. However, there may be elements of truth and holiness found outside it. The Church is led by the Pope and bishops.

Peter was not a perfect man. He ran away when Jesus was arrested. Later he returned to the courtyard where Jesus had been taken. People said to him, "You are a disciple of Jesus." Peter shouted angrily, "I do not even know him." Realizing how shameful it was to deny knowing Jesus, Peter cried tears of great sorrow (see Matthew 26:69–75).

Jesus forgave Peter and helped him become a great leader of the Church. Peter followed Jesus' example as a good shepherd. He helped the early Church work together in love.

Eventually Peter was arrested and put to death because of his faith. His enemies thought that if Peter died, then the Church would also die. But the Holy Spirit and Peter's leadership made that impossible. Peter had led many people to Jesus' way of life.

Saint Peter's life shows us that God has great plans for all of us. God also does not give up on us, even when we do something wrong. Saint Peter teaches us to use our talents and gifts to serve the Lord, and to help build up the Church.

Detail from the Linaiuoli Triptych, predella showing St. Peter Preaching,
by Fra Angelico (Guido di Pietro)

 How can you be like Saint Peter and help build up the Church?

YO SIGO A JESÚS

Todos los miembros bautizados de la Iglesia son templos del Espíritu Santo y parte del Cuerpo de Cristo. El Espíritu Santo te ayuda a usar tus dones para continuar la obra de Jesús en la Tierra.

ACTIVIDAD

Nombra un don o talento que tengas. Cuenta una manera en que hayas usado este talento o don.

_____

_____

_____

_____

Mi elección de fe

Esta semana puedo participar de la obra de Jesús. Yo voy a

_____

_____

_____

Espíritu Santo, ayúdame a recordar que Tú vives siempre en mí. Amén.

All baptized members of the Church are temples of the Holy Spirit, and part of the Body of Christ. The Spirit helps you to use your gifts to continue Jesus' work on Earth.

ACTIVITY

Name a gift or talent that you have. Tell about one way you have used this talent or gift.

_____

_____

_____

_____

_____

My Faith Choice

This week I can share in the work of Jesus. I will:

_____

_____

_____

Holy Spirit, help me to remember that you live in me always. Amen.

1. El Pueblo de Dios, el Cuerpo de Cristo y la Comunión de los Santos son imágenes del misterio de la Iglesia.

2. A todos los bautizados los guía el Espíritu Santo para que continúen la obra de Cristo en la Tierra.

3. La Iglesia es una, santa, católica y apostólica.

REPASO DEL CAPÍTULO

A continuación encontrarás cinco respuestas. Escribe una pregunta que se relacione con cada respuesta.

1. **Pregunta:** _____

   Respuesta: Los que son llamados por Dios Padre a reunirse en nombre de Jesús, su Hijo.

2. **Pregunta:** _____

   Respuesta: Todos los fieles seguidores de Cristo que están vivos en la Tierra y los que han muerto.

3. **Pregunta:** _____

   Respuesta: Los primeros líderes de la Iglesia, elegidos por Jesús para que bautizaran y enseñaran en su nombre.

4. **Pregunta:** _____

   Respuesta: La Iglesia es una, santa, católica y apostólica.

5. **Pregunta:** _____

   Respuesta: El líder y maestro principal de la Iglesia Católica, que, como San Pedro, es el pastor del rebaño de Jesús.

Oración por el Cuerpo de Cristo

Líder: Recemos para aceptar la invitación de Jesús de continuar su obra en el mundo.

Lector: *Proclama 1.ª Pedro 2:9*

Líder: Estamos llamados a conocer, amar y servir juntos a Dios.

Todos: **Somos el pueblo de Dios. ¡Alabemos al Señor! ¡Aleluya!**

Líder: Estamos llamados a edificar el Cuerpo de Cristo.

Todos: **Somos el pueblo de Dios. ¡Alabemos al Señor! ¡Aleluya!**

Below you will find five answers. Write a question to go with each answer.

1. **Question:** Who are the people of god

   Answer: Those called by God the Father to gather in the name of Jesus his Son.

2. **Question:** Who are the cummunion of saints

   Answer: All of the faithful followers of Christ who are alive on Earth and those who have died.

3. **Question:** who are the appostels come to the last supper

   Answer: The first leaders of the Church, chosen by Jesus to baptize and teach in his name.

4. **Question:** What are some of the marks of the church

   Answer: The Church is one, holy, catholic and apostolic.

5. **Question:** What can the Pope do?

   Answer: The chief leader and teacher of the Catholic Church, who, like Saint Peter, is the shepherd to Jesus' flock.

1. The People of God, the Body of Christ, and the Communion of Saints are images about the mystery of the Church.

2. All of the baptized are guided by the Holy Spirit to continue the work of Christ on Earth.

3. The Church is one, holy, catholic, and apostolic.

Prayer for the Body of Christ

Leader: Let us pray that we will respond to Jesus' invitation to continue his work in the world.

Reader: *Proclaim 1 Peter 2:9*

Leader: We are called to know, love, and serve God together.

All: **We are God's people. Let us praise the Lord! Alleluia!**

Leader: We are called to build up the Body of Christ.

All: **We are God's people. Let us praise the Lord! Alleluia!**

Con mi familia

Esta semana...

En el capítulo 4, "Creemos en la Iglesia", su niño aprendió que:

▶ Antes de su Ascensión, Jesús compartió su misión con los Apóstoles y eligió a Pedro para que condujera a la Iglesia.

▶ Todos los bautizados están llamados a trabajar con el Espíritu Santo para continuar la obra de Cristo en la Tierra.

▶ Las palabras sacerdote, profeta y rey describen la obra de Cristo.

▶ La Iglesia Católica se describe como el Pueblo de Dios, el Cuerpo de Cristo y la Comunión de los Santos.

▶ En el Credo de Nicea, rezamos que creemos en que la Iglesia es una, santa, católica y apostólica.

▶ El Papa es el líder y maestro principal de la Iglesia Católica.

Para saber más sobre otras enseñanzas de la Iglesia, consulten el *Catecismo de la Iglesia Católica,* 668–679, 781–786, 805–807, 813–865, 946–948, y el *Catecismo Católico de los Estados Unidos para los Adultos,* páginas 112–114, 116–118, 126–134.

■ Vivimos como discípulos

El hogar cristiano con la familia es una escuela de discipulado. Elijan una de las siguientes actividades para hacer en familia, o creen una actividad similar ustedes mismos.

▶ **El Poder de los discípulos del valor,** o fortaleza, nos ayuda a hacer o decir lo correcto, incluso cuando sea difícil o nos dé miedo hacerlo. Elogien a su niño cuando manifieste la virtud del valor y muestre signos de valentía.

▶ Conversen sobre las maneras en que su familia continúa la obra de Cristo. Decidan de qué manera su familia trabajará con otros feligreses para continuar la obra de Jesús.

▶ Esta semana, recen juntos el Credo de Nicea cada noche (consulten la página 272). Conversen sobre cómo su familia contribuye a la unidad de la Iglesia, crece en santidad, ayuda a los demás y transmite fielmente las enseñanzas de la Iglesia.

■ Compartir la Palabra de Dios

Aprendan de qué manera es la Iglesia el Cuerpo de Cristo. Lean 1.ª Corintios 12:12–31. Enfaticen que Cristo es la Cabeza del Cuerpo, y todos los bautizados forman el Cuerpo de Cristo, la Iglesia.

■ Nuestro viaje espiritual

Reflexionen en que la Iglesia no es solo un lugar al que asistimos para el culto todas las semanas. La Iglesia es lo que somos como seguidores de Jesús bautizados. Piensen en las maneras en que su familia es un signo de la Iglesia para los demás. La alabanza es la primera forma de oración, y la más importante. Es nuestra respuesta feliz a nuestro Creador por todas sus bendiciones. Esta semana recen en familia cada día la respuesta a la oración de la página 120.

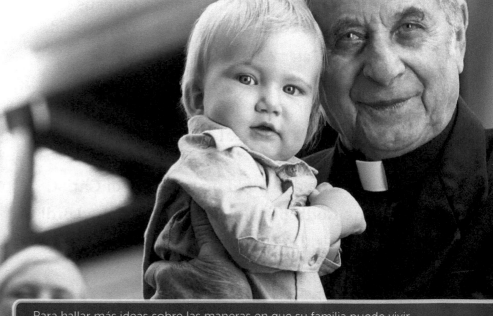

Para hallar más ideas sobre las maneras en que su familia puede vivir como discípulos de Jesús, visiten **seanmisdiscipulos.com** ▶

With My Family

This Week . . .

In chapter 4, "We Believe in the Church," your child learned:

▶ Before his Ascension, Jesus shared his mission with the Apostles, and chose Peter to lead the Church.

All of the baptized are called to work with the Holy Spirit to continue the work of Christ on Earth.

The words priest, prophet, and king describe the work of Christ.

The Catholic Church is described as the People of God, the Body of Christ, and the Communion of Saints.

In the Nicene Creed, we pray that we believe in one, holy, catholic, and apostolic Church. These are the four Marks of the Church.

The Pope is the chief leader and teacher of the Catholic Church.

For more about related teachings of the Church, see *the Catechism of the Catholic Church*, 668–679, 781–786, 805–807, 813–865, 946–948, and the *United States Catholic Catechism for Adults*, pages 112–114, 116–118, 126–134.

◼ We Live as Disciples

The Christian home and family is a school of discipleship. Choose one of the following activities to do as a family or design a similar activity on your own.

The Disciple Power, courage, or fortitude, helps us do or say what is right, even when it is hard or scary to do so. Affirm your child when he or she displays the virtue of courage and shows signs of bravery.

Talk about the ways your family continues the work of Christ. Decide one way your family can work with other parishioners to continue the work of Jesus.

Pray together the Nicene Creed each evening this week (see page 273). Talk about how your family contributes to Church unity, grows in holiness, reaches out to others, and faithfully passes on the teachings of the Church.

◼ Sharing God's Word

Learn about how the Church is the Body of Christ. Read 1 Corinthians 12:12–31. Emphasize that Christ is the Head of his Body, and all of the baptized make up the Body of Christ, the Church.

◼ Our Spiritual Journey

Reflect on how the Church is not just a place we go to for weekly worship. The Church is who we are as baptized followers of Jesus. Think about the ways in which your family is a sign of the Church for others. Praise is the first and most important form of prayer. It is our joyful response to our Creator for all his blessings. Pray the prayer response on page 121 each day this week as a family.

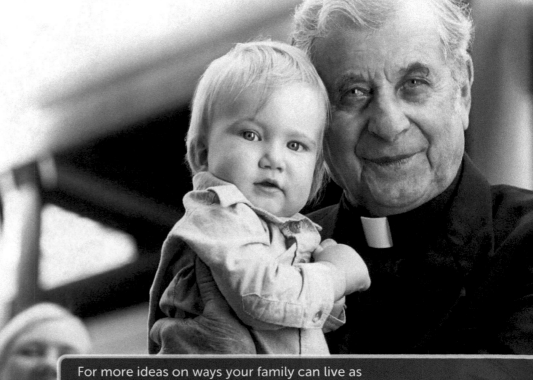

For more ideas on ways your family can live as disciples of Jesus, visit **BeMyDisciples.com** ▶

Capítulo 5

Lo que vendrá

En este capítulo el Espíritu Santo te invita a

- ✓ **Investigar** las maneras en que damos gracias a Dios.
- ✓ **Descubrir** los efectos de los tres Sacramentos de la Iniciación Cristiana.
- ✓ **Decidir** cómo seguir el ejemplo de sacrificio de Jesús.

Creemos en...

La Iniciación Cristian

¿Qué tienen en común las fotografías de esta página?

La Iglesia tiene muchas celebraciones especiales. Durante algunas de estas celebraciones cantamos un salmo. Podríamos cantar:

> Te damos gracias, oh Dios, te damos gracias,
> cuenten tus prodigios
> los que invocan tu nombre.
> Yo podría alargarme, no terminaría,
> cantaré salmos al Dios de Jacob.

SALMO 75:2, 10

¿Qué prodigios de Dios conoces?

We Believe in . . .
Christian Initiation

Looking Ahead

In this chapter the Holy Spirit invites you to

✓ **Explore** the ways in which we give thanks to God.

✓ **Discover** the effects of the three Sacraments of Christian Initiation.

✓ **Decide** how to follow Jesus' example of sacrifice.

 What do each of the photographs on this page have in common?

The Church has many special celebrations. During some of these celebrations we sing a psalm. We might sing:

> We thank you God, we give thanks;
> We call upon your name,
> declare your wonderful deeds.
> But I will rejoice forever;
> I will sing praise to the God of Jacob.
>
> PSALM 75:2, 10

What wonderful deeds of God do you know?

Los católicos creen

Los sacramentales son bendiciones y objetos sagrados que se usan en nuestro culto público y en la oración personal. Nos ayudan a prepararnos para recibir la gracia. Nos ayudan a recordar la presencia de Dios y los misterios de la fe católica. Algunos ejemplos de sacramentales son el agua bendita, los santos óleos, el crucifijo y las cenizas bendecidas.

Adoramos a Dios

Cuando la Iglesia reza de manera oficial y pública, lleva a cabo la **liturgia**. La liturgia de la Iglesia incluye muchas partes y muchas maneras de rezar. Lo que une todas estas partes y expresiones es que la liturgia refleja lo que enseñó y transmitió la Tradición única de Jesús a través de los Apóstoles. Cada uno de los Sacramentos, las celebraciones principales de la Iglesia, tiene una liturgia. Los Siete Sacramentos son el Bautismo, la Confirmación, la Eucaristía, la Unción de los Enfermos, la Penitencia y Reconciliación, el Matrimonio y el Orden Sagrado. La Eucaristía, o la Misa, es la fuente y el punto más importante de la vida cristiana. En la Misa, el sacerdote y el pueblo se unen a Cristo, y continúa la obra de nuestra Salvación.

Jesús nos dio los **Sacramentos**. Cuando nosotros, como miembros de la Iglesia, celebramos los sacramentos, participamos de la vida de la Santísima Trinidad. Dios Padre nos invita a alabarlo y darle gracias. En los Sacramentos, recibimos la gracia necesaria para llevar la Buena Nueva de Jesús a los demás. El Espíritu Santo nos ayuda a lograrlo y a parecernos más a Jesús.

Los Siete Sacramentos son tan importantes para el Pueblo de Dios que creemos que son necesarios para nuestra Salvación. La Salvación es nuestra liberación del pecado y de la muerte a través del sacrificio de Jesús en la cruz y de su Resurrección. Jesucristo, el Hijo de Dios, da la posibilidad de que los que creen en Él tengan una vida eterna con Dios en el Cielo. Celebramos el comienzo de esta vida nueva en los Sacramentos.

ACTIVIDAD

Completa la red de palabras con lo que has aprendido acerca de los Siete Sacramentos.

Hay 7 sacramentos.

SACRAMENTOS

We Worship God

When the Church prays in an official and public way, we call that a **liturgy.** The Church's liturgy includes many parts and ways of praying. What unites all these parts and expressions is that the liturgy reflects what was taught and handed down by the one Tradition of Jesus through the Apostles. Each of the Sacraments, the main celebrations of the Church, have a liturgy. The Seven Sacraments are: Baptism, Confirmation, Eucharist, Anointing of the Sick, Penance and Reconciliation, Matrimony, and Holy Orders. Eucharist, or the Mass, is the source and high point of Christian life. In the Mass, the priest and the people join with Christ and the work of our Salvation continues.

Jesus gave the **Sacraments** to us. When we, as members of the Church, celebrate the sacraments, we share in the life of the Holy Trinity. God the Father invites us to give him praise and thanksgiving. In the Sacraments, we receive the grace necessary to bring the Good News of Jesus to others. The Holy Spirit helps us to accomplish this and to become more like Jesus.

The Seven Sacraments are so important for the People of God that we believe they are necessary for our Salvation. Salvation is our freedom from sin and death through Jesus' sacrifice on the cross and his Resurrection. Jesus Christ, the Son of God, makes possible for those who believe in him to have eternal life with God in Heaven. We celebrate the beginning of this new life in the Sacraments.

Catholics Believe

Sacramentals are blessings and sacred objects are used in our public worship and personal prayer. They help prepare us to receive grace. They help us remember God's presence and the mysteries of the Catholic faith. Holy water, blessed oils, the crucifix, and blessed ashes are some examples of sacramentals.

ACTIVITY

Complete the word web with things you have learned about the Seven Sacraments.

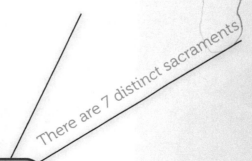

There are 7 distinct sacraments

SACRAMENTS

liturgia

La liturgia es la obra de la Iglesia, durante la cual el Pueblo de Dios adora a Dios. En la liturgia, Cristo continúa la obra de Redención en, con y a través de su Iglesia.

Sacramentos

Los Sacramentos son los siete signos litúrgicos principales de la Iglesia, dados a nosotros por Jesús. Nos hacen partícipes de la vida de la Santísima Trinidad y, para los creyentes, son necesarios para la Salvación. Cada Sacramento confiere una gracia especial propia de él.

Sacramentos de la Iniciación Cristiana

El Bautismo, la Confirmación y la Eucaristía son los Sacramentos de la Iniciación Cristiana. Estos tres Sacramentos son la base de la vida cristiana.

Unidos a Cristo

El Bautismo, la Confirmación y la Eucaristía son los **Sacramentos de la Iniciación Cristiana**. Estos tres Sacramentos son la base de nuestra vida cristiana. Durante la celebración de estos Sacramentos, a través del poder del Espíritu Santo, la persona se une a Cristo y se convierte en miembro pleno de la Iglesia.

El Bautismo es el pórtico a la vida cristiana porque es el primer sacramento que recibimos. El Bautismo nos une a Cristo y nos convertimos en miembros del Cuerpo de Cristo, la Iglesia. Mediante las aguas bautismales, se perdonan el Pecado Original y todos los pecados personales. Volvemos a nacer como hijas e hijos adoptivos de Dios. Quedamos marcados para siempre como seguidores de Cristo. Por eso solo se nos bautiza una vez. En caso de urgencia, cualquier persona puede bautizar mientras siga la manera en que lo hace la Iglesia y lo lleve a cabo con la misma intención que tiene la Iglesia. En el Bautismo, recibimos al Espíritu Santo en nuestro interior y una nueva vida en Cristo.

La Confirmación completa y fortalece las gracias del Bautismo. Mediante la unción de la Confirmación, se nos fortalece con los dones del Espíritu Santo. Por estos dones somos capaces de compartir con los demás la Buena Nueva de Jesucristo. En la Confirmación, como en el Bautismo, recibimos en el alma un carácter duradero o marca indeleble que indica que pertenecemos a Cristo para siempre.

ACTIVIDAD Ilustra lo que sabes que sucede en el Bautismo.

Joined to Christ

Baptism, Confirmation, and the Eucharist are the **Sacraments of Christian Initiation.** These three Sacraments form the foundation of our Christian life. In the celebration of these Sacraments, through the power of the Holy Spirit, a person is joined to Christ and becomes a full member of the Church.

Baptism is the doorway to the Christian life because it is the first sacrament we receive. Baptism joins us to Christ and we become members of the Body of Christ, the Church. Through the baptismal waters, Original Sin and all personal sins are forgiven. We are reborn as God's adopted daughters and sons. We are marked forever as followers of Christ. That is why we may only be baptized once. In case of an emergency, anyone can baptize as long as they follow the way that the Church baptizes and intend what the Church intends by Baptism. At Baptism, we receive the indwelling presence of the Holy Spirit and new life in Christ.

Confirmation completes and strengthens the graces of Baptism. Through the anointing in Confirmation we are strengthened by the gifts of the Holy Spirit. Through these gifts we are able to share with others the Good News of Jesus Christ. In Confirmation, as in Baptism, we receive a lasting character, or indelible mark, on our souls that marks us as belonging to Christ forever.

FAITH VOCABULARY

liturgy
The liturgy is the work of the Church, during which the People of God worship God. In the liturgy, Christ continues the work of Redemption in, with, and through the Church.

Sacraments
The Sacraments are the seven main liturgical signs of the Church, given to us by Jesus. They make us sharers in the life of the Holy Trinity and, for believers, are necessary for Salvation. Every Sacrament confers the sacramental grace proper to it.

Sacraments of Christian Initiation
Baptism, Confirmation, and the Eucharist are the Sacraments of Christian Initiation. These three sacraments form the foundation of Christian life.

ACTIVITY Illustrate what you know happens at Baptism.

Identidad católica

Hoy se incorpora a los adultos y a los jóvenes en la Iglesia mediante un proceso llamado Rito de la Iniciación Cristiana de Adultos (RICA). Después de un período de oración, estudio y rituales, los participantes en el RICA celebran los tres Sacramentos de la Iniciación Cristiana durante la Misa de la Vigilia Pascual. Esa noche se los recibe en la comunión plena con la Iglesia Católica cuando celebramos la Resurrección de Jesús.

La Eucaristía

La Última Cena

Los sacramentos nos nutren y nos fortalecen para que vivamos como seguidores de Jesús. En la Última Cena, Jesús nos dio el Sacramento de la Eucaristía, el don de su Cuerpo y su Sangre. Jesús dijo a sus discípulos: *"Hagan esto en memoria mía"* (Lucas 22:19).

El sacrificio en la cruz

El día siguiente a la Última Cena, Jesús fue crucificado. Dio su vida en la cruz voluntariamente para salvarnos del pecado. Libremente sacrificó su vida y se ofreció a su Padre. A través de la Eucaristía nos unimos al sacrificio de Jesús, que dio su vida por nosotros. San Pablo nos recuerda:

[C]ada vez que comen de este pan y beben de esta copa están proclamando la muerte del Señor hasta que venga.

1.ª Corintios 11:26

La Eucaristía, la Misa, es la principal celebración sacramental de la Iglesia. La Iglesia celebra la Eucaristía todos los días del año en todo el mundo.

La Eucaristía es el tercer Sacramento de la Iniciación Cristiana. Completa nuestra iniciación en la Iglesia. Al participar en este Sacramento, recibimos el Cuerpo y la Sangre de Cristo. Cuando celebramos la Eucaristía, nos unimos más plenamente a Cristo y a la Iglesia.

ACTIVIDAD Haz una lista de los sacrificios que estarías dispuesto a hacer para seguir a Jesús.

_____

_____

_____

The Eucharist

The Last Supper

The sacraments nourish and strengthen us to live as Jesus' followers. At the Last Supper Jesus gave us the Sacrament of the Eucharist, the gift of his Body and Blood. Jesus said to his disciples, *"[D]o this in memory of me"* (Luke 22:19).

The Sacrifice on the Cross

The day after the Last Supper, Jesus was crucified. He freely gave his life on the cross to save us from sin. He freely offered himself and sacrificed his life to his Father. Through the Eucharist we join in Jesus' sacrifice of his life for us. Saint Paul reminds us:

> *For as often as you eat this bread and drink the cup, you proclaim the death of the Lord until he comes.*
>
> 1 CORINTHIANS 11:26

The Eucharist, the Mass, is the main sacramental celebration of the Church. The Church celebrates the Eucharist everyday of the year all over the world.

The Eucharist is the third Sacrament of Christian Initiation. It completes our initiation into the Church. Through our participation in this sacrament, we receive the Body and Blood of Christ. We are joined most fully to Christ and to the Church when we celebrate the Eucharist.

ACTIVITY List sacrifices that you would be willing to make in order to follow Jesus.

_____

_____

_____

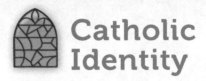

Catholic Identity

Adults and young people are welcomed into the Church today through a process called the Rite of Christian Initiation of Adults (RCIA). After a period of prayer, study, and rituals, the people participating in the RCIA celebrate all three Sacraments of Christian Initiation during the Easter Vigil Mass. They are welcomed into full communion with the Catholic Church on this night when we celebrate the Resurrection of Jesus.

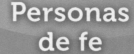

Somos nutridos y enviados a predicar

Isabel Ana creció en una adinerada familia anglicana de Nueva York. Cuando tenía diecinueve años, se casó con Will Seton. Tuvieron cinco hijos. Luego Will se enfermó gravemente. No podía trabajar y su negocio fracasó. Unos amigos de la familia que vivían en Italia invitaron a los Seton a quedarse con ellos mientras Will se recuperaba.

Los amigos de Isabel eran católicos. Isabel iba a la iglesia con ellos los domingos. Pronto empezó a participar de la Misa diaria, excepto de la Sagrada Comunión. También rezaba ante el Santísimo Sacramento, la Hostia consagrada en la Misa, que se guarda en un recipiente especial llamado tabernáculo. Isabel sentía que el Señor la estaba llamando a convertirse al catolicismo.

Después de que Will murió, Isabel Seton y sus hijos regresaron a su casa en Nueva York. Allí aprendió más acerca del catolicismo y pronto fue recibida en la Iglesia. Para mantener a su familia, fundó un internado católico para niñas. Esta fue la primera escuela católica de los Estados Unidos.

Con el tiempo, Isabel formó una comunidad de monjas que enseñaban en orfanatos y escuelas que ella había establecido para los pobres. Hoy honramos a Isabel Ana Seton como la primera santa nacida en los Estados Unidos. Su amor por Jesús fue alimentado por la Eucaristía y recibió la inspiración para servir a los demás en nombre de Cristo.

¿Cómo podría inspirarte Santa Isabel para que participes más activamente durante la Misa?

Nourished and Sent Forth

Elizabeth Ann was raised in a wealthy Episcopalian family in New York. She married Will Seton when she was nineteen. They had five children. Then Will became very ill. He could not work and his business failed. Family friends in Italy invited the Seton family to stay with them while Will recovered.

Elizabeth's friends were Catholic. She went to church with them on Sundays. Soon she began to participate in daily Mass, except for receiving Holy Communion. She also prayed before the Blessed Sacrament, the Host consecrated at Mass, which is kept in a special container called a tabernacle. Elizabeth felt the Lord was calling her to become a Catholic.

After Will died, Elizabeth Seton and her children returned home to New York. There she learned more about Catholicism and was soon welcomed into the Church. She supported her family by opening a Catholic boarding school for girls. It was the first Catholic school in the United States.

In time, Elizabeth formed a community of nuns who taught in orphanages and schools for the poor that were established by Elizabeth. Today we honor Elizabeth Ann Seton as the first American-born saint. Her love for Jesus was nourished by the Eucharist and she was inspired to serve others in Christ's name.

 How could Saint Elizabeth inspire you to participate more actively during Mass?

YO SIGO A JESÚS

Te conviertes en miembro pleno de la Iglesia a través de los tres Sacramentos de la Iniciación Cristiana. Mediante el Bautismo, recibes una nueva vida en Cristo. La Confirmación completa y fortalece las gracias del Bautismo. En la Eucaristía recibes el Cuerpo y la Sangre de Cristo, y te unes más plenamente a Cristo y a la Iglesia.

ACTIVIDAD Diseña una tarjeta de felicitación para alguien de tu edad que pronto celebrará los tres Sacramentos de la Iniciación Cristiana. En los siguientes renglones, escribe un mensaje para darle la bienvenida y contarle qué significan los Sacramentos para ti.

Mi elección de fe

Esta semana puedo seguir el ejemplo de Jesús haciendo un sacrificio. Yo voy a

_____

_____

_____

Dios amoroso, te doy gracias por el don de tus Sacramentos. Ayúdame a amarte y seguirte todos los días. Amén.

You become a full member of the Church through the three Sacraments of Christian Initiation. Through Baptism you receive new life in Christ. Confirmation completes and strengthens the graces of Baptism. In the Eucharist you receive the Body and Blood of Christ and are joined most fully to Christ and to the Church.

ACTIVITY Design a greeting card for someone your age who will soon celebrate the three Sacraments of Christian Initiation. On the lines below, write a message to welcome them and tell them what these Sacraments mean to you.

My Faith Choice

This week I can follow the example of Jesus by making a sacrifice. I will:

_____

_____

_____

Loving God, I thank you for the gift of your Sacraments. Help me to love and follow you every day. Amen.

1. Los Siete Sacramentos son las celebraciones litúrgicas principales de la Iglesia.

2. El Bautismo, la Confirmación y la Eucaristía son los tres Sacramentos de la Iniciación Cristiana.

3. En los Sacramentos de la Iniciación Cristiana se nos une a Cristo y nos convertimos en miembros plenos de la Iglesia.

REPASO DEL CAPÍTULO

Traza una línea para unir el sacramento de la columna izquierda con la oración de la columna derecha que lo describe mejor.

❶ BAUTISMO

Ⓐ Es la principal celebración sacramental de la Iglesia, en la cual recibimos el Cuerpo y la Sangre de Cristo, y nos unimos más plenamente a Cristo y a la Iglesia.

❷ CONFIRMACIÓN

Ⓑ Este Sacramento fortalece las gracias del Bautismo.

❸ EUCARISTÍA

Ⓒ Recibimos por primera vez una nueva vida en Cristo y quedamos marcados para siempre como seguidores de Jesús.

Bendición vivificante

Todos los Sacramentos incluyen una bendición con la cruz de Cristo. El agua es el símbolo central del Sacramento del Bautismo. Hoy nuestra oración incorpora ambos símbolos.

Líder: Acérquense de a uno a la vez. Recuerden que, por el Bautismo, quedan unidos a Cristo para siempre. Introduzcan los dedos de la mano derecha en el recipiente con agua bendita y bendíganse haciendo la Señal de la Cruz. Luego ubíquense alrededor de la mesa de oración. [Todos se bendicen.]

Líder: Señor, Tú nos das una nueva vida en Cristo.

Todos: **Bendícenos hoy, Señor.**

Líder: Señor, Tú nos fortaleces con tu gracia.

Todos: **Bendícenos hoy, Señor.**

Líder: Señor, Tú nos nutres con tu Cuerpo y tu Sangre.

Todos: **Bendícenos hoy y siempre, Señor. Amén.**

Draw a line to connect the sacrament in the left column with the sentence in the right column that best describes it.

1 BAPTISM

A This is the main sacramental celebration of the Church in which we receive the Body and Blood of Christ, and are joined most fully to Christ and the Church.

2 CONFIRMATION

B This Scrament strengthens the graces of Baptism.

3 EUCHARIST

C For the first time, we receive new life in Christ and are marked forever as followers of Jesus.

1. The Seven Sacraments are the main liturgical celebrations of the Church.

2. Baptism, Confirmation, and the Eucharist are the three Sacraments of Christian Initiation.

3. In the Sacraments of Christian Initiation, we are joined to Christ and become full members of the Church.

A Life-Giving Blessing

Every sacrament includes a blessing with the cross of Christ. Water is the central symbol in the Sacrament of Baptism. Our prayer today includes both of these symbols.

Leader: Come forward one at a time. Remember that through Baptism you are joined to Christ forever. Dip the fingers of your right hand in the bowl of holy water and bless yourself with the Sign of the Cross. Then join a circle around our prayer table. [All bless themselves.]

Leader: Lord, you give us new life in Christ.

All: Bless us today, Lord.

Leader: Lord, you strengthen us with your grace.

All: Bless us today, Lord.

Leader: Lord, you nourish us with your Body and Blood.

All: Bless us today and always, Lord. Amen.

Con mi familia

Esta semana...

En el capítulo 5, "Creemos en la Iniciación Cristiana", su niño aprendió que:

► Los Siete Sacramentos son las celebraciones litúrgicas principales de la Iglesia. Son necesarios para nuestra Salvación.

► Cuando celebramos los sacramentos con la Iglesia, nos hacemos partícipes en la vida de la Santísima Trinidad.

► En los Sacramentos de la Iniciación Cristiana se nos une a Cristo y nos convertimos en miembros plenos de la Iglesia.

Para saber más sobre otras enseñanzas de la Iglesia, consulten el *Catecismo de la Iglesia Católica,* 1113–1130, 1210–1274, 1285–1314, 1322–1405, y el *Catecismo Católico de los Estados Unidos para los Adultos,* páginas 181–199, 201–211, 213–232, 527.

■ Vivimos como discípulos

El hogar cristiano con la familia es una escuela de discipulado. Elijan una de las siguientes actividades para hacer en familia, o creen una actividad similar ustedes mismos.

► **El gozo, un Poder de los discípulos,** muestra que cooperamos con el Espíritu Santo. Con frecuencia, expresamos este fruto del Espíritu Santo cuando reconocemos las bendiciones que recibimos de Dios. Durante las comidas, damos gracias a Dios por la bendición que nos proporciona.

► Conversen sobre los Sacramentos de la Iniciación Cristiana para los que se están preparando los miembros de la familia. Compartan unos con otros qué esperan de la celebración de este Sacramento.

► Trabajen en familia haciendo una tarjeta de bienvenida para uno o más de los niños que se hayan bautizado recientemente en su parroquia. Entreguen la tarjeta al Director de Educación Religiosa de su parroquia para que se la dé a la familia.

■ Compartir la Palabra de Dios

Lean juntos Gálatas 3:27–29. Enfaticen que la idea de "revestirse de Cristo" recuerda nuestro bautismo. En el Bautismo recibimos al Espíritu Santo para que habite en nuestro interior y a una nueva vida en Cristo.

■ Nuestro viaje espiritual

Los católicos, generalmente, se bendicen con agua bendita cuando entran en la iglesia. Ustedes pueden llevar agua bendita de la iglesia y continuar esta práctica en su hogar. Cuando salen de la casa o cuando se van a la cama, pueden bendecir a sus niños. Esta semana, usen en casa el servicio de oración de bendición de la página 136.

Para hallar más ideas sobre las maneras en que su familia puede vivir como discípulos de Jesús, visiten **seanmisdiscipulos.com**

With My Family

This Week . . .

In Chapter 5, "We Believe in Christian Initiation," your child learned:

▶ The Seven Sacraments are the main liturgical celebrations of the Church. They are necessary for our salvation.

▶ When we celebrate the sacraments with the Church, we are made sharers in the life of the Holy Trinity.

▶ Through the Sacraments of Christian Initiation, we are joined to Christ and become full members of the Church.

For more about related teachings of the Church, see the *Catechism of the Catholic Church*, 1113–1130, 1210–1274, 1285–1314, 1322–1405, and the *United States Catholic Catechism for Adults*, pages 181–199, 201–211, 213–232, 527.

■ We Live as Disciples

The Christian home and family is a school of discipleship. Choose one of the following activities to do as a family or design a similar activity on your own.

▶ **Joy, a Disciple Power**, shows that we cooperate with the Holy Spirit. We often express this fruit of the Holy Spirit when we acknowledge our blessings from God. During mealtime, give thanks to God for the blessing he provides us.

▶ Talk about the Sacraments of Christian Initiation for which family members are preparing. Share with one another what you are all most looking forward to about celebrating these Sacraments.

▶ Work together as a family to make a welcoming card for one or more of the children who have been recently baptized at your parish. Give the card to your parish Director of Religious Education to pass on to the family.

■ Sharing God's Word

Read together Galatians 3:27–29. Emphasize that the idea of "putting on Christ" is about recalling our baptism. In Baptism, we receive the indwelling presence of the Holy Spirit and new life in Christ.

■ Our Spiritual Journey

Catholics generally bless themselves with holy water when entering the church. You can bring holy water from your church and continue this practice at home. You can bless your children as they leave the house or at bedtime. Use the blessing prayer service on page 137 at home this week.

For more ideas on ways your family can live as disciples of Jesus, visit

BeMyDisciples.com ▶

Lo que vendrá

En este capítulo el Espíritu Santo te invita a

- ✓ **Investigar** por qué Jesús es dador de vida.

- ✓ **Descubrir** por qué la Eucaristía es el gran misterio de nuestra fe.

- ✓ **Decidir** una manera de llevar adelante la misión de Jesús.

Creemos en...

La Misa

Piensa en un momento en el que tuviste hambre y sed. ¿Cómo calmaste tu hambre y tu sed?

Jesús se describe a sí mismo como dador de vida para todos los que creen en Él. Dijo Jesús:

> … Es mi Padre el que les da el verdadero pan del cielo… Yo soy el pan de vida. El que viene a mí nunca tendrá hambre y el que cree en mí nunca tendrá sed.
>
> JUAN 6:32, 35

¿Cómo podría Jesús, el Pan de Vida, satisfacer tu hambre y tu sed?

We Believe in . . .
The Mass

Think about a time when you felt hungry and thirsty. How did you satisfy your hunger and thirst?

Looking Ahead

In this chapter the Holy Spirit invites you to

✓ **Explore** why Jesus is life-giving.

✓ **Discover** why the Eucharist is a great mystery of our faith.

✓ **Decide** on a way to carry on Jesus' mission.

Jesus describes himself as life-giving for all who believe in him. This is what Jesus said:

> *My Father gives you the true bread from heaven . . . I am the bread of life; whoever comes to me will never hunger, and whoever believes in me will never thirst.*
>
> JOHN 6:32, 35

How might Jesus, the Bread of Life, satisfy your hunger and thirst?

Eucaristía

La Eucaristía es el último Sacramento de la Iniciación Cristiana por el que se hace presente el amoroso sacrificio de Cristo de darse a sí mismo, y recibimos el Cuerpo y la Sangre de Cristo. Al participar de la Sagrada Comunión, nos unimos más plenamente a Cristo y a la Iglesia, el Cuerpo de Cristo.

Misa

La Misa es la principal celebración sacramental de la Iglesia. Durante la Misa, nos reunimos para escuchar la Palabra de Dios y participar de la Eucaristía.

El misterio de la Eucaristía

En la **Eucaristía**, Jesús nos da el don de sí mismo como el Pan de Vida. La Eucaristía es un gran misterio de nuestra fe. La Iglesia usa muchos nombres para la Eucaristía para ayudarnos a entender el significado de este gran misterio del amor de Dios.

La Presencia Real. La Eucaristía es la comida y el banquete sagrados que celebra la Presencia Real de Jesús. Durante la Oración Eucarística de la Misa, el sacerdote dice y hace lo que Jesús dijo e hizo en la Última Cena. A esto se lo llama Consagración. Él bendice, parte y distribuye el pan.

A través de las palabras de Cristo dichas por el sacerdote y el poder del Espíritu Santo, el pan y el vino se transforman en el Cuerpo y la Sangre de Cristo. Jesús, vivo y glorioso, está verdadera, real y plenamente presente bajo la apariencia del pan y del vino.

El Santo Sacrificio. En la Eucaristía, el amoroso sacrificio de Jesús se hace nuevamente presente. Unidos a Cristo y por medio del poder del Espíritu Santo, nos ofrecemos a Dios Padre agradeciendo y alabándolo.

La Misa. La palabra *misa* proviene del término en latín *missio*, que significa "misión" o "envío". Al final de la **Misa**, se nos envía a una misión. Debemos ir y anunciar el Evangelio y glorificar al Señor con nuestra vida.

ACTIVIDAD Dibuja una imagen de cómo ves presente a Cristo en la Eucaristía.

The Mystery of the Eucharist

In the **Eucharist**, Jesus gives us the gift of himself as the Bread of Life. The Eucharist is a great mystery of our faith. The Church uses many names for the Eucharist to help us understand the meaning of this great mystery of God's love.

The Real Presence. The Eucharist is a holy meal and banquet that celebrates the Real Presence of Jesus. During the Eucharistic Prayer of the Mass the priest says and does what Jesus said and did at the Last Supper. This is called the Consecration. He blesses, breaks, and distributes the bread.

Through the words of Christ spoken by the priest and the power of the Holy Spirit, the bread and wine are changed into the Body and Blood of Christ. Jesus, living and glorious, is truly, really, and fully present under the appearances of bread and wine.

The Holy Sacrifice. In the Eucharist the loving sacrifice of Jesus is made present again. Joined to Christ and through the power of the Holy Spirit, we offer ourselves to God the Father in thanksgiving and praise.

The Mass. The word *mass* comes from the Latin word *missio*, which means "mission" or "sending." At the conclusion of the **Mass** we are sent forth on a mission. We are to go and announce the Gospel and glorify the Lord by our lives.

FAITH VOCABULARY

Eucharist
The Eucharist is the final Sacrament of Christian Initiation in which Christ's loving sacrifice of himself is made present, and we receive the Body and Blood of Christ. By partaking of Communion, we are joined most fully to Christ and to the Church, the Body of Christ.

Mass
The Mass is the main sacramental celebration of the Church. During the Mass, we gather to listen to God's Word and share in the Eucharist.

 ACTIVITY Draw an image of how you see Christ present in the Eucharist.

Los católicos creen

La limosna es compartir nuestras bendiciones con los demás, especialmente con los necesitados. La palabra *limosna* proviene del latín y significa "acto de misericordia o longanimidad". Dios es misericordioso y bondadoso con nosotros. Y como cristianos, debemos tratar a los demás de la misma manera.

Celebración de la Misa

Al tomar parte en la Eucaristía, compartimos el Misterio Pascual de Jesucristo. También compartimos más plenamente la vida de la Santísima Trinidad a través del don de Jesús, Hijo de Dios. Nutridos por la Eucaristía, podemos realizar la obra de la Iglesia. Glorificamos al Señor con nuestra vida, anunciamos la Buena Nueva de Jesús y compartimos nuestras bendiciones con los demás.

La Misa es la reunión central de la Iglesia. Nos unimos para adorar a Dios. La celebración de la Misa tiene dos partes principales con una introducción y una conclusión. Las dos partes principales de la Misa son la Liturgia de la Palabra y la Liturgia Eucarística. La palabra *eucaristía* significa "dar gracias". Nos unimos con Jesús en la presencia del Espíritu Santo para dar gracias y alabar a Dios Padre. Cada miembro de la asamblea del culto participa activamente en la celebración de la Misa.

 ACTIVIDAD Mira las imágenes de esta página. Escribe una leyenda que describa lo que sucede en cada una.

Celebration of the Mass

By partaking in the Eucharist we share in the Paschal Mystery of Jesus Christ. We also share more fully in the life of the Holy Trinity through the gift of Jesus, the Son of God. Nourished by the Eucharist, we are able to accomplish the work of the Church. We glorify the Lord with our lives, announcing the Good News of Jesus and sharing our blessings with others.

The Mass is the central gathering of the Church. We come together to worship God. The celebration of the Mass has two main parts with an introduction and a conclusion. The two main parts of the Mass are the Liturgy of the Word and the Liturgy of the Eucharist. The word *eucharist* means "to give thanks." We join with Christ in the presence of the Holy Spirit to give thanks and praise to God the Father. Every member of the worshiping assembly has an active part in the celebration of the Mass.

Catholics Believe

Almsgiving is sharing our blessings with others, especially with people in need. The word *alms* comes from a Latin word meaning "an act of mercy or kindness." God is merciful and kind to us. And as Christians, we are to treat others in the same way.

ACTIVITY Look at the pictures on this page. Write a caption that describes what is happening in each photograph.

El sacerdote o el diácono presenta la lectura del Evangelio en la Misa con la proclamación "Lectura del santo Evangelio según (el nombre de quien escribió el Evangelio)". Respondemos: "Gloria a ti, Señor". Cuando decimos estas palabras, hacemos una pequeña Señal de la Cruz sobre nuestra frente, nuestros labios y nuestro corazón. Con esta acción, rezamos para pedir al Señor que sus palabras estén siempre en nuestra mente, nuestros labios y nuestro corazón.

La Divina Liturgia

La Liturgia de la Palabra

La celebración de la Misa del domingo incluye tres lecturas de la Sagrada Escritura. La proclamación del Evangelio, la tercera lectura, es el centro de la Liturgia de la Palabra. Después de esta proclamación, el sacerdote o el diácono predica una homilía. Así nos ayuda a comprender mejor y vivir la Palabra de Dios. Luego rezamos la Profesión de Fe y la Oración de los Fieles.

La Liturgia Eucarística

Durante la Oración Eucarística, nos unimos a Cristo y agradecemos y alabamos a Dios Padre. Por el poder del Espíritu Santo y las palabras del sacerdote, el pan y el vino, una vez consagrados, se convierten en el Cuerpo y la Sangre de Cristo.

La asamblea en pleno reza el Padre Nuestro y comparte el Rito de la paz mientras se prepara para la Sagrada Comunión. Profesamos nuestra fe en Jesucristo, el Cordero de Dios "que quita el pecado del mundo" por medio de su sacrificio amoroso en la cruz. Los que están preparados para recibir a Jesús, caminan en procesión para recibir la Sagrada Comunión, el Cuerpo y la Sangre de Cristo.

ACTIVIDAD Usa el código para completar los espacios al final de la página y descubrir la respuesta a la proclamación del Evangelio.

	1	2	3	4	5
a	F	P	B	O	E
b	H	J	R	G	M
c	U	L	V	A	T
d	Ñ	I	J	K	D
e	C	N	S	Q	Y

___ ___ ___ ___ ___ ___ a ti, ___ ___ ___ ___ ___

b-4   c-2   a-4   b-3   d-2   a-1   e-3   a-5   d-1   a-4   b-3

___ ___ ___ ___ ___.

b-2   a-5   e-3   c-1   e-3

The Divine Liturgy

The Liturgy of the Word

The Sunday celebration of the Mass includes three Scripture readings. The Gospel proclamation, the third reading, is the center of the Liturgy of the Word. After its proclamation, the priest or deacon preaches a homily. This helps us better understand and live the Word of God. We then pray the Profession of Faith and the Prayer of the Faithful.

The Liturgy of the Eucharist

During the Eucharistic Prayer we join with Christ and give thanks and praise to God the Father. By the power of the Holy Spirit and the words of the priest, the bread and wine when consecrated become the Body and Blood of Christ.

The whole assembly prays the Our Father and shares a sign of peace as we prepare for Holy Communion. We profess our faith in Jesus Christ, the Lamb of God "who takes away the sins of the world" through his loving sacrifice on the cross. Those prepared to receive Jesus walk in procession to receive Holy Communion, the Body and Blood of Christ.

ACTIVITY Using the coded key, fill-in the blanks at the bottom of the page to discover our response to the proclamation of the Gospel.

The priest or deacon introduces the Gospel reading at Mass with the proclamation "A reading from the holy Gospel according to (the name of the Gospel writer)." We respond, "Glory to you, O Lord." When we say these words, we make a small Sign of the Cross over our foreheads, lips and hearts. With this action, we pray asking the Lord that his words be always in our minds, on our lips, and in our hearts.

	1	2	3	4	5
a	F	P	B	O	E
b	H	X	R	G	M
c	U	L	V	A	T
d	W	I	X	K	D
e	C	N	S	Q	Y

P R A I S E to you, L O R D
a-2 b-3 c-4 d-2 e-3 a-5   c-2 a-4 b-3 d-5

Jesus C h r i s t.
e-1 b-1 b-3 d-2 e-3 c-5

147

Amor por la Liturgia

Carlos Manuel Rodríguez nació en Puerto Rico en 1918. En esa época, la Eucaristía se celebraba en latín en todo el mundo. A pesar de su juventud, Carlos anhelaba el día en que las personas pudieran escuchar y responder las oraciones de la Misa en español, la lengua de su pueblo.

Debido a su profundo amor por la liturgia,

Carlos estudió muchos documentos eclesiásticos, tomó cursos en la universidad y hasta aprendió música sacra. Estaba ansioso por compartir todo lo que había aprendido.

Publicó revistas para ayudar a que las personas entendieran mejor la liturgia y las estaciones del año eclesiástico. Tradujo el texto de la Misa al español. A pesar de que su traducción no se usó en la Misa, él las usó para enseñarles a los demás el significado de las palabras que rezaban al reunirse para celebrar la Misa.

Carlos murió de cáncer cuando tenía solo cuarenta y cuatro años, poco antes del comienzo del Concilio Vaticano II. En este importante encuentro, los líderes eclesiásticos decidieron que la Misa debía rezarse en la lengua nativa del pueblo que se reuniera a celebrarla. El sueño de Carlos se había hecho realidad.

Carlos fue proclamado beato por el Beato Papa Juan Pablo II en 1999. Fue la primera persona de Puerto Rico a la que se proclamó "beato". La vida del Beato Carlos nos inspira para que apreciemos la belleza y la sacralidad de la Misa con todo nuestro corazón.

¿Qué palabras o frases que rezamos durante la Misa encuentras inspiradoras?

Love of Liturgy

Carlos Manuel Rodriguez was born in Puerto Rico in 1918. At that time, the Eucharist was celebrated in Latin all over the world. Even as a young boy Carlos longed for the day when his people would be able to hear and respond to the prayers of the Mass in Spanish, the language of his people.

Because he had a deep love for the liturgy, Carlos studied many Church documents, took courses at college, and even learned about sacred music. He was eager to share everything he learned.

He published magazines to help people better understand the liturgy and the seasons of the Church year. He translated the words of the Mass into Spanish. Even though his translations were not used in the Mass, he used them to teach others the meaning of the words they prayed when they gathered to celebrate the Mass.

Carlos died of cancer when he was only forty-four years old, shortly before the Second Vatican Council began. At this important meeting, Church leaders decided that the Mass should be prayed in the native language of the people who gathered to celebrate it together. Carlos' dream had become a reality!

Carlos was declared "Blessed" by Blessed Pope John Paul II in 1999. He was the first person in Puerto Rico to be named "Blessed." Blessed Carlos' life can inspire us to appreciate the beauty and sacredness of the Mass with all our hearts.

 Which words or phrases we pray during the Mass do you find inspiring?

La Misa es la principal celebración sacramental de la Iglesia en la que nos reunimos para escuchar la Palabra de Dios y compartir el Cuerpo y la Sangre de Cristo en la Eucaristía.

ACTIVIDAD

Escribe una oración de agradecimiento a Jesús por el don de su Cuerpo y su Sangre que recibimos en la Sagrada Comunión.

_____

_____

_____

_____

_____

Mi elección de Fe

Esta semana puedo contarles a los demás por qué Jesús es importante en mi vida. Yo voy a

_____

_____

_____

Reza a Jesús para pedirle que te ayude a amar y servir a los demás como Él lo hizo.

The Mass is the main sacramental celebration of the Church in which we gather to hear God's Word and share the Body and Blood of Christ in the Eucharist.

ACTIVITY

Write a prayer thanking Jesus for the gift of his Body and Blood, which we receive in Holy Communion.

_____

_____

_____

_____

_____

My Faith Choice

This week I can tell others about why Jesus is important in my life. I will:

_____

_____

_____

Pray to Jesus, asking him to help you love and serve others as he did.

151

PARA RECORDAR

1. La Misa es la principal celebración sacramental de la Iglesia en la que nos reunimos para escuchar la Palabra de Dios y compartir la Eucaristía.

2. La Eucaristía es el último Sacramento de la Iniciación Cristiana por el que nos unimos más plenamente a Cristo y a la Iglesia.

3. Desde la Misa, se nos envía a continuar con la misión de Jesús.

REPASO DEL CAPÍTULO

Escribe los números 1 al 4 en las líneas que están a continuación para ordenar correctamente las partes de la Misa.

___2___ La Liturgia Eucarística

___4___ El Rito de Conclusión

___1___ Los Ritos Iniciales

___3___ La Liturgia de la Palabra

Digno de recibir

Antes de recibir la Sagrada Comunión, nos preparamos para ser merecedores de recibir al Señor Resucitado, el Pan de Vida. Reflexiona sobre este relato del Evangelio de Mateo.

Líder: Señor, eres el Pan de Vida. Ayúdanos a prepararnos para recibirte como dignos siervos.

Lector: Lean Mateo 8:5–13 (La fe del centurión)

Todos: Señor, no soy digno de que entres en mi casa, pero una palabra tuya bastará para sanarme. Amén.

Rito de la Comunión, Misal Romano

Write the numbers 1–4 on the lines below to put the parts of the Mass in the correct order.

_____2_____The Liturgy of the Eucharist

_____4_____The Concluding Rites

_____1_____The Introductory Rites

_____3_____The Liturgy of the Word

1. The Mass is the main sacramental celebration of the Church in which we gather to listen to God's Word and share in the Eucharist.

2. The Eucharist is the final Sacrament of Christian Initiation in which we are most fully joined to Christ and to the Church.

3. We are sent forth from the Mass to continue Jesus' mission.

Worthy To Receive

Before receiving Holy Communion, we prepare ourselves to worthily receive the Risen Lord, the Bread of Life. Reflect on this account from the Gospel of Matthew.

Leader: Lord, you are the Bread of Life. Help us to prepare ourselves to receive you as worthy servants.

Reader: *Read Matthew 8:5–13 (The Healing of a Centurion's Servant)*

All: **Lord, I am not worthy that you should enter under my roof, but only say the word and my soul shall be healed. Amen.**

Communion Rite, Roman Missal

Con mi familia

Esta semana...

En el Capítulo 6, "Creemos en la Misa", su niño aprendió que:

▶ Existen muchos nombres para la Eucaristía: El Banquete del Señor; la Fracción del Pan, el Santo Sacrificio y la Misa.

▶ La Eucaristía es el Sacramento de la Iniciación Cristiana por el que nos unimos más plenamente a Cristo y a la Iglesia, el Cuerpo de Cristo.

▶ Nos reunimos para escuchar la Palabra de Dios y compartir la Eucaristía, el Cuerpo y la Sangre de Cristo, en la Misa.

▶ Desde la Misa, se nos envía a continuar con la misión de Jesús.

Para saber más obre otras enseñanzas de la Iglesia, consulten el *Catecismo de la Iglesia Católica,* 1322–1419, y el *Catecismo Católico de los Estados Unidos para los Adultos,* páginas 213–232.

Vivimos como discípulos

El hogar cristiano con la familia es una escuela de discipulado. Elijan una de las siguientes actividades para hacer en familia, o creen una actividad similar ustedes mismos.

▶ **Ser benignos es señal de** ser discípulos. La benignidad es un fruto del Espíritu Santo al compartir nuestros dones y nuestros talentos con los demás. Sean benignos y generosos con sus bendiciones siendo voluntarios en familia en un comedor de beneficencia o en una despensa de alimentos.

▶ Trabajen juntos para hornear el pan de la cena familiar. Al sentarse a la mesa para comer, inviten a todos los miembros de la familia a que hagan una cruz sobre el pan antes de cortarlo. Durante la comida, hablen de las maneras en las que se aman y sirven entre sí.

▶ Todos sabemos que la buena alimentación y el ejercicio ayudan a mantener nuestro cuerpo saludable. Hable acerca de cómo la participación en la Misa nos ayuda a estar saludables espiritualmente.

Compartir la Palabra de Dios

Lean juntos el relato de San Pablo sobre la institución de la Eucaristía en 1.ª Corintios 11:23–26. Enfaticen que el día después de la Última Cena, Jesús sacrificó libremente su vida en la cruz. Comenten con su niño la conducta en la Misa que demuestra nuestra reverencia hacia la Eucaristía porque el Señor está verdadera, real y plenamente presente en la Eucaristía.

Nuestro viaje espiritual

Ayunar es una de las disciplinas espirituales de la Iglesia. El ayun eucarístico es la disciplina de la Iglesia por la que los católicos de buena salud se abstienen de comer y beber (excepto los medicamentos y el agua necesarios) durante al menos un hora antes de recibir la Sagrada Comunión. Este ayuno profundiz nuestro hambre espiritual del alimento espiritual que es vital para vivir nuestra vida en Cristo, que es el Pan de Vida.

Para hallar más ideas sobre las maneras en que su familia puede vivir como discípulos de Jesús, visiten **seanmisdiscipulos.com**

With My Family

This Week . . .

In Chapter 6, "We Believe in the Mass," your child learned:

- There are many names for the Eucharist: The Lord's Supper, the Breaking of the Bread, the Holy Sacrifice, and the Mass.

- Eucharist is the Sacrament of Christian Initiation in which we are joined most fully to Christ and to the Church, the Body of Christ.

- We gather to listen to God's Word and to share in the Eucharist, the Body and Blood of Christ, at Mass.

- We are sent forth from the Mass to continue Jesus mission.

For more about related teachings of the Church, see *Catechism of the Catholic Church*, 1322–1419, and the *United States Catholic Catechism for Adults,* pages 213–232.

We Live as Disciples

The Christian home and family is a school of discipleship. Choose one of the following activities to do as a family or design a similar activity on your own.

- **Being generous is a sign of** being a disciple. Generosity is a fruit of the Holy Spirit when we share our gifts and talents with others. Be generous with your blessings by volunteering as a family at a soup kitchen or food pantry.

- Work together to bake a loaf of bread for your family dinner. As you gather at the table for the meal, invite each member of the family to trace a cross on the loaf before it is cut. During your meal, talk about the ways in which you love and serve one another.

- We all know that good nutrition and exercise help keep our bodies healthy. Talk about how participating in Mass helps us to be spiritually healthy.

Sharing God's Word

Read together Saint Paul's account of the institution of the Eucharist in 1 Corinthians 11:23–26. Emphasize that on the day after the Last Supper Jesus freely sacrificed his life on the cross. Discuss with your child the behavior at Mass that shows our reverence for the Eucharist because the Lord is truly, really, and fully present in the Eucharist.

Our Spiritual Journey

Fasting is one of the spiritual disciplines of the Church. The Eucharistic fast is the discipline of the Church whereby Catholics in good health abstain from food and drink (except necessary medicine and water) for at least one hour before receiving Holy Communion. This fasting deepens our spiritual hunger for the spiritual food that is vital to living our life in Christ, who is the Bread of Life.

For more ideas on ways your family can live as disciples of Jesus, visit **BeMyDisciples.com**

Lo que vendrá

En este capítulo el Espíritu Santo te invita a

- **Investigar** cómo las palabras o las acciones pueden consolar a los demás.

- **Descubrir** el significado de los Sacramentos de Curación.

- **Decidir** cómo ser una persona de perdón.

¿Cómo continúa hoy la obra de Jesús de perdón y curación?

Creemos en...
La curación

Piensa en un momento en el que tus palabras o tus acciones brindaron consuelo o curaron a otra persona. ¿Qué dijiste o qué hiciste?

Jesús fue sanador. Él perdonó los pecados. Su toque gentil hizo que el ciego viera.

Bendice, alma mía,
*   al Señor, y no olvides ninguno de sus beneficios.*
Él perdona todas tus ofensas
*   y te cura de todas tus dolencias.*

Salmo 103:2–3

We Believe in . . .
Healing

 Think of a time when your words or actions brought comfort or healing to another person. What did you say or do?

Jesus was a healer. He forgave sins. His gentle touch made the blind see.

Bless the lord, my soul;
do not forget all the gifts of God,
Who pardons all your sins,
heals all your ills.

PSALM 103:2–3

Looking Ahead

In this chapter the Holy Spirit invites you to

✓ Explore how words or actions can comfort others.

✓ Discover the meaning of the Sacraments of Healing.

✓ Decide how to be a person of forgiveness.

How does Jesus' work of forgiving and healing continue today?

157

Unción de los Enfermos

El Sacramento de la Unción de los Enfermos es un Sacramento de Curación que fortalece la fe, la esperanza y el amor por Dios de quienes están gravemente enfermos, debilitados por su edad avanzada o de los moribundos.

Penitencia y Reconciliación

El Sacramento de Penitencia y Reconciliación es un Sacramento de Curación en el que recibimos, a través del ministerio del sacerdote, el perdón de Dios por los pecados que cometimos después del Bautismo.

pecados

Los pecados son aquellas acciones en que elegimos el mal libremente. El pecado venial debilita nuestra relación con Dios y con la Iglesia. El pecado mortal rompe nuestra relación con Dios y con la Iglesia.

Jesús, el sanador

Los Evangelios incluyen muchos relatos de Jesús curando al prójimo. Cuando Jesús curó a un enfermo, sanó la persona íntegra, en cuerpo y alma. Curó a la persona física y espiritualmente. Jesús ayudó a las personas a crecer en la fe, la confianza y el amor a Dios.

Los Sacramentos de Curación

La Iglesia continúa la obra de curación de Jesús a través de los dos Sacramentos de Curación: el Sacramento de la Penitencia y de la Reconciliación, y el Sacramento de la Unción de los Enfermos.

Los que están enfermos encuentran en Cristo fortaleza, valor y paz. Jesús dio a la Iglesia el Sacramento de la **Unción de los Enfermos** para continuar su obra con los enfermos del mundo por medio de la gracia del Espíritu Santo. Quienes están gravemente enfermos pueden recibir el Sacramento de la Unción de los Enfermos más de una vez.

En el Sacramento **de la Penitencia y de la Reconciliación** recibimos, a través del ministerio del sacerdote, el perdón de Dios por los **pecados** que cometimos después del Bautismo.

 ¿Por qué estos dos sacramentos se llaman Sacramentos de Curación?

La Curación de un leproso
Harold Copping
(1863-1932 inglés)

Jesus the Healer

The Gospels include many accounts of Jesus healing others. When Jesus healed a person who was sick, he healed the whole person, both body and soul. He healed the person physically and spiritually. Jesus helped people grow in faith, trust, and love for God.

The Sacraments of Healing

The Church continues Jesus' work of healing through the two Sacraments of Healing—the Sacrament of Penance and Reconciliation and the Sacrament of Anointing of the Sick.

In Christ, people who are sick can find strength, courage, and peace. Jesus gave the Church the Sacrament of **Anointing of the Sick** to continue his work among the sick in the world, through the grace of the Holy Spirit. Those who are seriously ill can receive the Sacrament of Anointing of the Sick more than once.

In the Sacrament of **Penance and Reconciliation**, we receive, through the ministry of the priest, God's forgiveness for the **sins** we commit after Baptism.

Why are these two sacraments called Sacraments of Healing?

The Healing of the Leper
Harold Copping
(1863-1932 English)

159

Unción de los Enfermos

El óleo ayuda a que nos curemos. Los santos óleos se guardan en la iglesia en un lugar especial llamado caja de los santos óleos. El Santo Crisma, el Óleo de los Enfermos y el Óleo de los Catecúmenos son los tres óleos sagrados que se guardan en esa caja. La Iglesia usa el Óleo de los Enfermos en la celebración de la Unción de los Enfermos.

Solo los obispos y los sacerdotes pueden administrar el Sacramento de la Unción de los Enfermos. El obispo o el sacerdote se encuentran y rezan con el enfermo o el anciano, con los que lo cuidan y con la familia. Les lee la Palabra de Dios. Luego guía la celebración del Sacramento. Si la persona que celebra el Sacramento puede hacerlo, el Sacramento de Penitencia puede anteceder al Sacramento de la Unción de los Enfermos y el Sacramento de la Eucaristía puede ser celebrado luego.

Durante la celebración, el sacerdote guía a todos los presentes en una oración de fe como respuesta a la Palabra de Dios. Los presentes representan a toda la Iglesia. Además el sacerdote impone sus manos sobre el enfermo. Por lo general, Jesús imponía sus manos sobre los enfermos (ver Lucas 4:40). Este gesto muestra que la Iglesia pide la bendición de Dios sobre el enfermo.

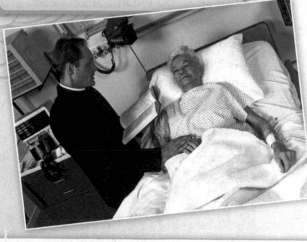

El sacerdote o el obispo unge al enfermo con el Óleo de los Enfermos. Primero unge la frente del enfermo mientras reza: "Por esta santa unción, y por su bondadosa misericordia te ayude el Señor con la gracia del Espíritu Santo". Luego unge las manos de la persona mientras reza:

"… para que, libre de tus pecados, te conceda la salvación y te conforte en la enfermedad" (Rito de la Unción de los Enfermos). En este Sacramento se perdona el pecado si el enfermo no puede celebrar el Sacramento de la Penitencia y de la Reconciliación.

ACTIVIDAD Piensa con un compañero en adjetivos que describan cómo luce, cómo huele y cómo se siente el óleo. Luego cuenta a la clase por qué crees que es un buen símbolo de este Sacramento.

Anointing the Sick

Only bishops and priests may administer the Sacrament of Anointing of the Sick. The bishop or priest meets and prays with the sick or elderly person, those caring for them, and with the family. He reads the Word of God. Then he leads the celebration of the Sacrament. If the person celebrating the Sacrament is able, the Sacrament of Penance may come before the Sacrament of the Anointing of the Sick and the celebration of the Sacrament of the Eucharist may follow it.

During the celebration, the priest leads everyone present in a prayer of faith as the response to God's Word. Those present represent the whole Church. In addition, the priest lays hands on the sick person. Jesus often laid hands on sick people (see Luke 4:40). This gesture shows that the Church asks for God's blessing on the sick person.

The priest or bishop anoints the sick person with the Oil of the Sick. First he anoints the ailing person's forehead as he prays, "Through this holy anointing may the Lord in his love and mercy help you with the grace of the Holy Spirit." Then he anoints the person's hands as he prays, "May the Lord who frees you from sin save you and raise you up" (Rite of Anointing of the Sick) Sin is forgiven in this Sacrament if the sick person is unable to celebrate the Sacrament of Penance and Reconciliation.

Catholic Identity

Oil helps to heal us. Holy oils are kept in a special place in the church called an ambry. Sacred Chrism, Oil of the Sick, and the Oil of the Catechumens are the three holy oils kept in the ambry. The Church uses the Oil of the Sick in the celebration of Anointing of the Sick.

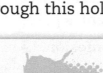

ACTIVITY

With a partner, come up with adjectives to describe what oil looks like, smells like, and feels like. Then tell your class why you think it is a good symbol for this Sacrament.

Buscar el perdón

Cuando pecamos, nos apartamos del amor de Dios y dañamos nuestra amistad con Él y con la Iglesia. El pecado también es omitir lo que debemos hacer. Una persona comete pecado mortal cuando la persona comete deliberadamente un pecado grave contra Dios, contra ellos mismos o contra los demás, habiendo reflexionado sobre él y con total conocimiento de su gravedad.

Cuando pecamos, el Espíritu Santo nos invita a pedir el perdón de Dios. Creemos que Dios puede curar el daño que han provocado nuestros pecados. Cuando recibimos la Comunión, nuestros pecados veniales quedan perdonados y nos fortalecemos para resistir los pecados graves. Dios nos perdona a través de la obra de Jesucristo y por el Sacramento de la Penitencia y de la Reconciliación.

Celebrar la Reconciliación

Para prepararte para la Penitencia y Reconciliación, primero examinas tu conciencia. Identificas y te haces responsable de las veces en las que libremente has elegido pecar. El Sacramento siempre incluye los siguientes pasos:

▶ **Confesión.** Le contamos nuestros pecados al sacerdote en privado. Debemos contar al sacerdote todos nuestros pecados mortales.

▶ **Contrición.** Decimos que estamos verdaderamente arrepentidos de nuestros pecados. Nos arrepentimos y prometemos tratar de no volver a pecar.

▶ **Penitencia.** Aceptamos como penitencia una oración o una acción que el sacerdote nos da como manera de ayudar a curar el daño provocado por nuestros pecados.

▶ **Absolución.** Dios nos perdona a través de las palabras y de las acciones del sacerdote.

P __ RD __ N __ NS __   M __ T __ __ M __ NT __

C __ M __   D __ __ S   L __ S   P __ RD __ N __ .

Basado en Efesios 4:32

ACTIVIDAD

Completa las vocales que faltan (A, E, I, O, U) para saber lo que San Pablo enseña acerca de cómo debemos tratarnos los unos a los otros.

Seeking Forgiveness

When we sin, we turn away from God's love and damage our friendship with him and the Church. Sin also includes omitting to do what we should do. When a person deliberately commits a grave sin toward God, themselves, or others, having thought about it and with full knowledge of its seriousness, the person commits a mortal sin.

When we sin, the Holy Spirit invites us to seek God's forgiveness. We believe that God can heal the harm our sins have caused. When we receive Communion, our venial sins are forgiven and we are strengthened to resist grave sins. God forgives us through the work of Jesus Christ and in the Sacrament of Penance and Reconciliation.

Celebrating Reconciliation

To prepare for Penance and Reconciliation, you first examine your conscience. You identify and take responsibility for the times when you have freely chosen to sin. The Sacrament always includes:

- **Confession.** We tell our sins in private to a priest. We must tell the priest all of our mortal sins.

- **Contrition.** We say that we are truly sorry for our sins. We repent and promise to try and not sin again.

- **Penance.** We accept as penance a prayer or action the priest gives us as a way to help heal the damage caused by our sins.

- **Absolution.** God forgives us through the words and action of the priest.

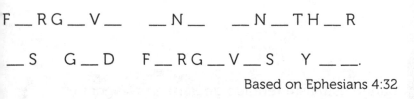

F __ R G __ V __   __ N __   __ N __ T H __ R

__ S   G __ D   F __ R G __ V __ S   Y __ __.

Based on Ephesians 4:32

Catholics Believe

Sacramental grace restores a person in their friendship with God and the Church. The grace of the Sacrament of Penance and Reconciliation heals the sinner's broken relationship, and gives them strength to avoid the occasion of sin.

ACTIVITY

Fill in the missing vowels (A, E, I, O, U) to learn what Saint Paul teaches about how we should treat one another.

¡Nunca te des por vencido!

Cuando era joven, Juan Vianney no pudo ir a la escuela. Debía trabajar en la granja de su familia. Cuando tuvo 19 años, Juan decidió hacerse sacerdote. Como los estudios le resultaban muy difíciles, le pidieron a Juan que dejara el seminario. Juan no se dio por vencido. Tuvo durante muchos años la tutoría de un sacerdote. Juan mejoró, pero falló en los exámenes. Finalmente, el obispo le otorgó a Juan un permiso especial para ser sacerdote. Juzgó a Juan por su santidad y determinación en lugar de sus calificaciones.

El Padre Juan Vianney fue asignado a una parroquia de Ars, Francia. Al principio las personas de la parroquia ignoraban el sermón de Juan y lo trataban mal. Pero Juan encontró la manera de tocar su corazón.

La debilidad de sus problemas de aprendizaje enseñó a Juan a ser humilde y a aceptar la ayuda de los demás. Juan supo que podría ayudar a las personas al ser una señal de la misericordia y el perdón de Dios. A través del Sacramento de la Reconciliación, ayudó a muchas personas a vencer sus propias debilidades y aceptar el amor de Dios. Cuando las personas confesaban sus pecados, el Padre Juan escuchaba atentamente y les daba consejo sobre cómo vivir como discípulos de Jesús.

El Padre Juan Vianney se hizo famoso en toda Francia por su comprensión y compasión. Hoy es santo. Igual que San Juan Vianney, podemos sobreponernos a nuestras debilidades y vivir como Dios nos llama a que vivamos.

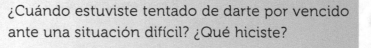
¿Cuándo estuviste tentado de darte por vencido ante una situación difícil? ¿Qué hiciste?

Never Give Up!

When he was young, John Vianney could not attend school. He had to work on his family's farm. At the age of nineteen, John decided to become a priest. He found the studies very difficult, so John was asked to leave the seminary.

John did not give up. He was tutored by a priest for several years. John made progress, but still failed his tests. Finally, the bishop gave John special permission to become a priest. He judged John on his holiness and determination instead of his grades.

Father John Vianney was assigned to a parish in Ars, France. At first, the people of the parish ignored John's preaching and were mean to him. But John found a way to change their hearts.

The weakness from his learning problems taught John to be humble and to accept help from others. John knew he could help people by being a sign of God's mercy and forgiveness. Through the Sacrament of Reconciliation, he helped many people overcome their own weaknesses and accept God's love. As people confessed their sins, Father John listened carefully and gave them advice on how to live as disciples of Jesus.

Father John Vianney became famous all over France for his understanding and compassion. Today he is a saint. Like Saint John Vianney, we can overcome our weaknesses and live as God calls us to live.

When have you been tempted to give up in a difficult situation? What did you do?

YO SIGO A JESÚS

El Espíritu Santo te ayuda a continuar el ministerio de sanación de Jesús. Al ser curado por la gracia de Dios, te apartas del pecado contra Dios y aceptas su perdón en el Sacramento de la Penitencia. También puedes perdonar a quienes te han ofendido o hecho daño.

ACTIVIDAD Compara y contrasta los dos Sacramentos de Curación. ¿En qué se parecen los dos sacramentos? ¿En qué se diferencian?

Unción de
los Enfermos

Penitencia y
Reconciliación

Sacramentos de Curación

Mi elección de fe

Esta semana perdonaré a alguien por medio de mis actos y de mis palabras de amor. Yo voy a

_____

_____

_____

 Piensa en alguien que necesite tu perdón. Pide al Espíritu Santo que te dé la fortaleza y el valor de perdonar a esa persona.

The Holy Spirit helps you to continue the healing ministry of Jesus. When healed by God's grace, you turn away from sin toward God, and accept his forgiveness in the Sacrament of Penance. You can also forgive those who have offended or hurt you.

ACTIVITY Compare and contrast the two Sacraments of Healing. How are the two sacraments alike? How are they different?

Anointing of the Sick

Penance and Reconciliation

Sacraments of Healing

My Faith Choice

This week I will forgive someone through my acts and words of love. I will:

_____

_____

_____

Think about someone who needs your forgiveness. Ask the Holy Spirit to give you the strength and courage to forgive that person.

1. Jesús continúa su ministerio de sanación a través de los Sacramentos de Curación.

2. La Unción de los Enfermos nos fortalece cuando estamos gravemente enfermos, debilitados por la edad avanzada o moribundos.

3. En la Penitencia y Reconciliación, recibimos el perdón de Dios por nuestros pecados.

REPASO DEL CAPÍTULO

Encierra la V si el enunciado es verdadero. Encierra la F si el enunciad es falso. Haz verdaderos los enunciados falsos.

1. La Reconciliación y Penitencia, y la Unción de los Enfermos son Sacramentos de la Iniciación Cristiana.   V

2. Otra forma de nombrar el Sacramento de la Penitencia y de la Reconciliación es la Imposición de las manos.   V

3. La confesión, la contrición, la penitencia y la absolución son parte del Sacramento de la Penitencia y de la Reconciliación.   V

4. La Iglesia celebra la Unción de los Enfermos en las personas saludables, los adultos y los ancianos   V

5. Solo un obispo o un sacerdote puede administrar el Sacramento de la Unción de los Enfermos.   V

Oración del Penitente

En la Oración del Penitente, prometemos esforzarnos por no peca más. Aprende la Oración del Penitente para que puedas rezarla en el Sacramento de la Penitencia y de la Reconciliación.

Dios mío,
me arrepiento de todo corazón
de todo lo malo que he hecho
y de todo lo bueno que he dejado de hacer,
porque pecando te he ofendido a ti, que eres el sumo bien
y digno de ser amado sobre todas las cosas.
Propongo firmemente, con tu gracia,
cumplir la penitencia,
no volver a pecar
y evitar las ocasiones de pecado.
Perdóname, Señor, por los méritos de la pasión
de nuestro Salvador Jesucristo.

RITUAL DE LA PENITENCIA

Circle T if the statement is true. Circle F if the statement is false. Make the false statements true.

1. Reconciliation and Penance and Anointing of the Sick are Sacraments of Christian Initiation.   T   F

2. Another name for the Sacrament of Penance and Reconciliation is Laying on of Hands.   T   F

3. Confession, contrition, penance, and absolution are all part of the Sacrament of Penance and Reconciliation.   T   F

4. The Church celebrates Anointing of the Sick for healthy people, grown-ups, and elderly people.   T   F

5. Only a priest or bishop can administer the Sacrament of Anointing of the Sick.   T   F

TO HELP YOU REMEMBER

1. Jesus continues his ministry of healing through the Sacraments of Healing.

2. The Anointing of the Sick strengthens us when we are seriously ill, weakened by old age, or dying.

3. In Penance and Reconciliation, we receive God's forgiveness for our sins.

Act of Contrition

In an Act of Contrition, we promise to do our best not to sin anymore. Learn this Act of Contrition so that you can pray it in the Sacrament of Penance and Reconciliation.

My God,
I am sorry for my sins with all my heart.
In choosing to do wrong
and failing to do good,
I have sinned against you
whom I should love above all things.
I firmly intend, with your help,
to do penance,
to sin no more,
and to avoid whatever leads me to sin.
Our Savior Jesus Christ
suffered and died for us.
In his name, my God, have mercy.

RITE OF PENANCE

Con mi familia

Esta semana...

En el Capítulo 7, "Creemos en la Curación", su niño aprendió que:

▶ La Iglesia actual continúa con la obra de Jesús de perdón y curación a través de los dos Sacramentos de Curación.

▶ Los Sacramentos de Curación son los Sacramento de la Penitencia y de la Reconciliación, y el Sacramento de la Unción de los Enfermos.

▶ El Sacramento de la Unción de los Enfermos es un Sacramento de Curación que fortalece la fe, la esperanza y el amor por Dios de quienes están gravemente enfermos, debilitados por su edad avanzada o de los moribundos.

▶ Con la Penitencia y la Reconciliación recibimos, a través del ministerio del sacerdote, el perdón de Dios por los pecados que cometimos después del Bautismo.

Para saber más sobre otras enseñanzas de la Iglesia, consulten el *Catecismo de la Iglesia Católica,* 1420–1532, y el *Catecismo Católico de los Estados Unidos para los Adultos,* páginas 233–259.

Vivimos como discípulos

El hogar cristiano con la familia es una escuela de discipulado. Elijan una de las siguientes actividades para hacer en familia, o creen una actividad similar ustedes mismos.

▶ **Un discípulo actúa con misericordia** y tiene un corazón que perdona. Cuando buscamos perdón u ofrecemos misericordia, participamos de la curación de Jesús. ¿Cómo ha mostrado su familia misericordia mutua?

▶ Recen juntos la Oración del Penitente de la página 168. Ayuden a su niño a aprender esta oración que rezamos como parte del Sacramento de la Reconciliación y la Penitencia.

▶ Decidan una manera específica en la que su familia puede llegar a un anciano para mostrarle cuidado. Pongan el plan en acción dentro de la próxima semana.

Compartir la Palabra de Dios

Lean juntos Efesios 4:32. Comenten las maneras en las que la familia busca y extiende e perdón mutuamente.

Nuestro viaje espiritual

El examen de conciencia es una disciplina espiritual antigua y probada que nos ayuda a reflexionar sobre cómo hemos vivido según las leyes de Dios y cómo hemos aceptado o rechazado su amor. Examinar regularmente la conciencia ayuda a evaluar las propias palabras y acciones. Antes de dormir es un momento magnífico para revisar los sucesos del día y las elecciones hechas. Animen esta práctica con sus niños y ayúdenlos a memorizar la Oración del Penitente.

Para hallar más ideas sobre las maneras en que su familia puede vivir como discípulos de Jesús, visiten

seanmisdiscipulos.com

With My Family

This Week . . .

In Chapter 7, "We Believe in Healing," your child learned:

▶ The Church today continues Jesus' work of forgiving and healing through the two Sacraments of Healing.

▶ The Sacraments of Healing are the Sacrament of Penance and Reconciliation and the Sacrament of Anointing of the Sick.

▶ The Anointing of the Sick strengthens our faith, hope, and love for God when we are seriously ill, weakened by old age, or dying.

▶ In Penance and Reconciliation, we receive, through the ministry of the priest, God's forgiveness for the sins we commit after Baptism.

For more about related teachings of the Church, see *Catechism of the Catholic Church*, 1420–1532, and the *United States Catholic Catechism for Adults*, pages 233–259.

We Live as Disciples

The Christian home and family is a school of discipleship. Choose one of the following activities to do as a family or design a similar activity on your own.

▶ **A disciple acts with mercy** and has a forgiving heart. When we seek forgiveness or offer mercy, we participate in the healing of Jesus. How has your family shown mercy to one another?

▶ Pray together the Act of Contrition on page 169. Help your child to learn this prayer, which we pray as part of the Sacrament of Reconciliation and Penance.

▶ Decide on one specific way your family can reach out to an elderly person to show your care. Put your plan into action within the next week.

Sharing God's Word

Read together Ephesians 4:32. Discuss the ways in which your family seeks and extends forgiveness to one another.

Our Spiritual Journey

Examination of conscience is an ancient and proven spiritual discipline that helps us reflect on how we have lived according to God's laws and accepted or rejected his love. Regularly examining your conscience can help you to evaluate your words and actions. Before bedtime is a great time to review the events of the day and your choices. Encourage this practice with your children and help them memorize the Act of Contrition.

For more ideas on ways your family can live as disciples of Jesus, visit **BeMyDisciples.com**

Lo que vendrá

En este capítulo el Espíritu Santo te invita a

- ☑ Investigar maneras en las que estamos llamados a servir a los demás.
- ☑ Descubrir cómo algunas personas están llamadas a servir a la Iglesia.
- ☑ Decidir cómo servir a Dios y a los demás con amor.

El servicio

¿Cuáles son las tres características o cualidades que mejor te describen?

Ser discípulo de Jesús significa que estamos llamados a servir a Dios y a servirnos mutuamente. Jesús llamó a sus discípulos a una vida de servicio.

Llegaron a Carfanaún, y una vez en casa, Jesús les preguntó: "¿De qué venían discutiendo por el camino?".

Ellos se quedaron callados. Habían discutido entre sí sobre quién era el más importante de todos.

Entonces [Jesús]se sentó, llamó a los Doce y les dijo: "Si alguno quiere ser el primero, que se haga el último y el servidor de todos".

MARCOS 9:33–35

¿De qué manera los discípulos de Jesús son llamados a servir a los demás?

Beata Madre Teresa de Calcuta

Chapter 8

We Believe in . . .
Service

What are three characteristics or qualities that best describe you?

Being a disciple of Jesus means that we are called to serve God and one another. Jesus called his disciples to a life of service.

> They came to Capernaum and, once inside the house, [Jesus] began to ask them, "What were you arguing about on the way?"
>
> But they remained silent. They had been discussing among themselves on the way who was the greatest.
>
> Then [Jesus] sat down, called the Twelve, and said to them, "If anyone wishes to be first, he shall be the last of all and the servant of all."
>
> MARK 9:33–35

How are Jesus' disciples called to serve others?

Blessed Mother Teresa of Calcutta

Sacramentos al Servicio de la Comunidad
Los Sacramentos al Servicio de la Comunidad son los dos sacramentos que apartan a miembros de la Iglesia para servirla a través del Orden Sagrado o el Matrimonio.

vocación
La vocación es un llamado especial de Dios para vivir una vida de santidad de una manera determinada.

Llamados a servir

En el Bautismo, todos nosotros recibimos un llamado especial, o **vocación**, para servir a Dios como parte del sacerdocio común de los fieles. La vocación es nuestro llamado a la santidad. Podemos vivir vidas santas como personas individuales. Algunas personas están llamadas a hacerse miembros de una comunidad religiosa. Algunos hombres están llamados a ser obispos, sacerdotes o diáconos por el Sacramento del Orden Sagrado. Dios llama a algunos hombres y mujeres a vivir vidas santas como matrimonio a través del Sacramento del Matrimonio. Las personas que deciden permanecer solteras en beneficio del Reino de Dios también pueden vivir vidas santas.

Al Servicio de la Comunidad

Los miembros de la Iglesia que están llamados a la vocación del matrimonio o de ordenarse son elegidos para que nos ayuden a vivir nuestro Bautismo y nuestro llamado a la santidad. Son consagrados, o "apartados" por la gracia de Dios, para el servicio cristiano de los **Sacramentos al Servicio de la Comunidad**. Estos sacramentos son el Orden Sagrado y el Matrimonio.

 **ACTIVIDAD** Haz una lista de dos maneras en las que los sacerdotes y las personas casadas sirven a la Iglesia.

Called to Serve

At Baptism, we each receive a special call, or **vocation,** to serve God as part of the common priesthood of the faithful. A vocation is our call to holiness. We can live holy lives as single people. Some people are called to become members of a religious community. Some men are called to be a bishop, priest, or deacon in the Sacrament of Holy Orders. God calls some men and women to live holy lives as married people through the Sacrament of Matrimony. People who decide to remain unmarried for the sake of the Kingdom of God can live holy lives also.

At the Service of Communion

Members of the Church who are called to the vocation of marriage or ordination are chosen to help us live our Baptism and our call to holiness. They are consecrated, or "set aside" by God's grace, for Christian service in the **Sacraments at the Service of Communion.** These sacraments are Holy Orders and Matrimony.

ACTIVITY List two ways priests and married people serve the Church.

_____   _____

_____   _____

Los católicos creen

Algunos sacerdotes, algunos hermanos y hermanas pertenecen a comunidades religiosas. Hacen votos especiales, o promesas, a Dios. Algunos votos o promesas incluyen la pobreza, la castidad y la obediencia. La pobreza significa vivir sencillamente y no atarse a cosas materiales. La castidad significa que cuerpo y alma están unidos en una vida pura. La obediencia significa que obedecerán a los líderes de su comunidad en nombre de la Iglesia.

Si estuvieras haciendo un cartel en el que pidieras hombres que consideraran unirse al sacerdocio, ¿qué cualidades necesarias pondrías en la lista?

Designados para servir

En el Orden Sagrado, los hombres bautizados se ordenan para servir y guiar la Iglesia. El verbo *ordenar* significa "designar". A través del Orden Sagrado, Dios designa a hombres en particular para que sirvan a la Iglesia de esta manera especial.

Existen tres órdenes en el sacerdocio ministerial: *episcopado* (obispos), *presbiterado* (sacerdotes) y *diaconado* (diáconos). Los obispos, sacerdotes y diáconos enseñan, gobiernan y celebran en la Iglesia.

Jesús eligió a los Apóstoles para servir a la Iglesia en su nombre (ver Marcos 3:13–14). Los obispos son los sucesores de los Apóstoles. Bajo la autoridad del papa, el obispo de Roma, y junto con él, los obispos son los principales maestros de la Iglesia. El obispo lidera una *diócesis*, un grupo de comunidades católicas llamadas parroquias, que existen dentro de límites geográficos específicos.

Los sacerdotes son colaboradores de los obispos. Son ordenados por los obispos para predicar y enseñar la Palabra de Dios, celebrar los Sacramentos y dirigir la Iglesia. A los sacerdotes se les pide vivir en celibato, vidas castas. Esto significa que permanecen solteros para dedicarse mejor y resueltamente a dar testimonio y servir a Cristo en la Iglesia.

Los diáconos asisten a los obispos y a los sacerdotes. Son ordenados para cumplir responsabilidades específicas en las parroquias. Pueden bautizar, ser testigos de matrimonios, proclamar el Evangelio, dar homilías y presidir funerales. Muchos diáconos están casados y trabajan fuera de la parroquia para mantener a su familia.

Appointed to Serve

In Holy Orders, baptized men are ordained to serve and lead the Church. The verb to *ordain* means "to appoint." Through Holy Orders, God appoints particular men to serve the Church in this special way.

There are three orders in the ministerial priesthood: *episcopate* (bishops), *presbyterate* (priests), and *diaconate* (deacons). Bishops, priests, and deacons teach, govern, and celebrate in the Church.

Jesus chose the Apostles to serve the Church in his name (see Mark 3:13–14). Bishops are the successors of the Apostles. Under the authority of the pope, the bishop of Rome, and together with him, the bishops are the chief teachers of the Church. A bishop leads a *diocese*, a group of Catholic communities called parishes, that exist within specific geographical boundaries.

Priests are co-workers with the bishops. They are ordained by their bishops to preach and teach the Word of God, celebrate the Sacraments, and govern the Church. Priests are asked to live celibate, chaste lives. This means that they remain single so that they can best dedicate themselves in a single-minded witness and service to Christ in the Church.

Deacons assist bishops and priests. They are ordained for specific responsibilities in parishes. They can baptize, witness marriages, proclaim the Gospel, give homilies, and preside at funerals. Many deacons are married and work outside the parish to support their families.

Catholics Believe

Some priests, brothers, and sisters belong to religious communities. They make special vows or promises to God. Some vows include poverty, chastity, and obedience. Poverty means to live simply and not to be attached to material things. Chastity means that the body and the soul are united in living a pure life. Obedience means they will obey the leaders of their community on behalf of the Church.

? If you were creating a poster asking men to consider joining the priesthood, what necessary qualities would you list?

En las bodas católicas se intercambian los anillos de casamiento. Los anillos simbolizan el amor eterno de Dios por nosotros, y también el amor y compromiso de por vida de la pareja casada. Hace mucho tiempo, el novio deslizaba el anillo de bodas en cada dedo de la mano de su novia mientras recitaba los nombres de las tres personas de la Santísima Trinidad, Dios Padre, Dios Hijo y Dios Espíritu Santo, antes de dejarlo en el dedo anular.

Promesa de amarse como uno solo

El otro Sacramento al Servicio de la Comunidad es el Matrimonio. El Matrimonio es otra manera de decir casamiento. Por este Sacramento, un hombre y una mujer bautizados se comprometen libremente a amarse mutua y exclusivamente para toda la vida. Deben amarse mutuamente de manera libre, plena, fiel y para siempre como una señal del amor de Cristo por la Iglesia. Por lo general, la pareja intercambia anillos como señal de su amor y fidelidad maritales de uno hacia el otro.

En el Matrimonio, la pareja recibe la gracia de Dios para amarse y servirse entre sí y a la Iglesia. La Sagrada Escritura nos dice que en el matrimonio, el hombre y la mujer "pasan a ser una sola carne" (Génesis 2:24). Durante la celebración del sacramento, la pareja promete aceptar los hijos como un don de Dios y criarlos de acuerdo con las enseñanzas de la Iglesia.

Tu familia te ayuda a aprender cómo amar y vivir sirviéndose mutuamente y a Dios. La familia cristiana se llama Iglesia doméstica. La palabra doméstica proviene del término en latín que significa "casa" u "hogar". El hogar cristiano es entonces una escuela de discipulado. Los padres son los primeros en enseñar a sus hijos acerca de Jesús y de las enseñanzas de la Iglesia.

ACTIVIDAD

Haz una lista dentro del anillo de bodas de algunas de las maneras en las que los matrimonios pueden mostrar su compromiso mutuo.

Promise to Love as One

The other Sacrament at the Service of Communion is Matrimony. Matrimony is another name for marriage. In this Sacrament, a baptized man and a baptized woman freely commit to a life-long promise to love one another exclusively. They are to love one another freely, fully, faithfully, and forever as a sign of Christ's love for the Church. The couple usually exchanges rings as a sign of their marital love and faithfulness to one another.

In Matrimony, the couple receives God's grace to love and serve each other and the Church. Scripture tells us that in marriage the man and woman "become one" (Genesis 2:24). During the celebration of the sacrament, the couple promises to accept children as a gift from God, and to raise them according to Church teachings.

Your family helps you learn how to love and live in service to God and one another. The Christian family is called the domestic Church. The word *domestic* comes from a Latin word which means "home" or "household." The Christian home then is a school of discipleship. Parents are the first to teach their children about Jesus and the teachings of the Church.

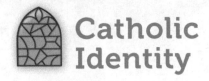

Catholic Identity

Wedding rings are exchanged at Catholic weddings. The rings symbolize God's eternal love for us, and also the lifelong love and commitment of the married couple. Long ago, the groom would slide the wedding ring down and up each finger of his bride's hand, reciting the names of the Three Persons of the Blessed Trinity, God the Father, God the Son, and God the Holy Spirit, before placing it on her ring finger.

ACTIVITY

Inside the wedding ring, make a list of some of the ways married couples can show their commitment to one another.

Siervos fieles

Isidro empezó a trabajar en la granja de un poderoso hacendado cerca de Madrid, España, cuando era muy jovencito. Sus padres lo habían criado en el amor a Jesús y a agradecer por todos los dones de Dios.

El trabajo en la granja comenzaba en la mañana, muy temprano. Isidro dejaba su trabajo todos los días para participar de la Misa. También detenía sus tareas para rezar durante el día. Los otros trabajadores de la granja se quejaban, pero el hacendado sabía que Isidro era un arduo trabajador. Siempre hacía todo su trabajo.

Finalmente, Isidro se casó con una mujer llamada María. Pronto tuvieron un hijo. La familia era pobre, pero feliz. Compartían sus alimentos con quien lo necesitara. Hasta cuidaban animales enfermos hasta curarlos. Los días que Isidro no trabajaba, visitaban iglesias para rezar.

María e Isidro nunca tuvieron una granja propia. Pero fueron buenos administradores, o protectores, de la tierra. Hoy son los santos patrones de los granjeros. Sus vidas nos recuerdan que los matrimonios están llamados a una manera especial de servir fielmente a Dios, a su familia, el uno al otro y a sí mismos.

¿Cómo puedes demostrar tu fidelidad a Dios, a los demás y a ti mismo?

Faithful Servants

Isidore began working on a wealthy landowner's farm near Madrid, Spain, when he was just a young boy. His parents raised Isidore to love Jesus and to be thankful for all of God's gifts.

Farm work began very early every morning. Isidore left his work each day to participate in Mass. He also often stopped his chores to pray during the day. The other farm workers complained, but the landowner knew that Isidore was a hard worker. He always completed his work.

Eventually, Isidore married a woman named Maria. Soon they had a son. The family was poor, but happy. They shared their food with anyone in need. They even nursed sick animals back to health. On Isidore's days off from work, they visited churches to pray.

Maria and Isidore never owned a farm of their own. Yet, they were good stewards, or protectors, of the land. Today they are the patron saints of farmers. Their lives remind us that married couples are called in a special way to faithfully serve God their families, each other, and themselves.

SANCTVS. ISIDORVS
Hispan.' Agricola, Patron'
Matriti miraculis clarus.
Obijt anno 1170.
Canonizat'a GREG XV 1622
N.d. Malhonierō ex.

How can you demonstrate your faithfulness to God, to others, and to yourself?

YO SIGO A JESÚS

Por el Bautismo, estamos todos llamados a la santidad. Este llamado es nuestra vocación. Es la manera en la que amamos y servimos a Dios y a los demás. En los Sacramentos al Servicio de la Comunidad, algunos miembros de la Iglesia son designados, o apartados, para servir a toda la Iglesia.

ACTIVIDAD

¿Qué quieres hacer cuando seas grande? Explica también cómo servirás a Dios y a los demás a través de tus elecciones.

_____

_____

_____

_____

_____

_____

Mi elección de fe

Esta semana, para servir a Dios y a los demás con amor, yo voy a

_____

_____

_____

_____

Padre amoroso, ayúdame a escuchar tu llamado en mi vida. Guíame hacia la santidad hoy y siempre. Amén.

I FOLLOW JESUS

At Baptism, we are all called to holiness. This calling is our vocation. It is the way we love and serve God and others. In the Sacraments at the Service of Communion, some members of the Church are appointed, or set aside, to serve the whole Church.

ACTIVITY

What do you want to do when you grow up? Include how you will serve God and others through your choices.

_____

_____

_____

_____

_____

_____

_____

My Faith Choice

This week to serve God and others with love, I will:

_____

_____

_____

_____

Loving Father, help me to listen for your call in my life. Lead me to holiness today and always. Amen.

1. Los Sacramentos al Servicio de la Comunidad son el Orden Sagrado y el Matrimonio.

2. Los obispos, los sacerdotes y los diáconos han sido ordenados por el Orden Sagrado para servir a la Iglesia.

3. En el Matrimonio, un hombre y una mujer bautizados reciben la gracia de Dios para amarse y servirse mutuamente.

REPASO DEL CAPÍTULO

Encierra en un círculo la opción que completa correctamente la ora

1. La vocación es
   a. un Sacramento.
   b. una elección personal.
   c. un llamado de Dios.

2. El Matrimonio y el Orden Sagrado son Sacramentos
   a. de Iniciación.
   b. al Servicio de la Comunidad.
   c. de Curación.

3. En el Orden Sagrado, un hombre es designado a servir a la Iglesia como obispo, sacerdote o
   a. Papa.
   b. diácono.
   c. monaguillo.

4. El amor de una pareja casada es un signo
   a. del amor de Cristo por la Iglesia.
   b. de felicidad.
   c. de amistad.

Letanía por las vocaciones

Líder: Padre, nos llamas a la santidad.

Todos: Guíanos para saber tu voluntad, Señor.

Líder: Jesús, nos pides que sirvamos a Dios y a los demás

Todos: Guíanos para saber tu voluntad, Señor.

Líder: Espíritu Santo, danos la gracia del Bautismo.

Todos: Guíanos para saber tu voluntad, Señor.

Líder: Santísima Trinidad, ayúdanos a conocer nuestra vocación.

Todos: Guíanos para saber tu voluntad, Señor.

Líder: Gloria al Padre
y al Hijo
y al Espíritu Santo.

Todos: Como era en el principio, ahora y siempre, por los siglos de los siglos. Amén.

Circle the choice that completes the sentence correctly.

1. A vocation is
   a. a Sacrament.
   b. a personal choice.
   c. a calling from God.

2. Matrimony and Holy Orders are Sacraments
   a. of Initiation.
   b. at the Service of Communion.
   c. of Healing.

3. In Holy Orders a man is appointed to serve the Church as a bishop, a priest, or a
   a. Pope.
   b. deacon.
   c. altar server.

4. A married couple's love is a sign of
   a. Christ's love for the Church.
   b. happiness.
   c. friendship.

1. The Sacraments at the Service of Communion are Holy Orders and Matrimony.

2. Bishops, priests, and deacons have been ordained in Holy Orders to serve the Church.

3. In Matrimony, a baptized man and a baptized woman receive God's grace to love and serve one another.

A Vocation Litany

Leader: Father, you call us to holiness.

All: **Lead us to know your will, Lord.**

Leader: Jesus, you ask us to serve God and others.

All: **Lead us to know your will, Lord.**

Leader: Holy Spirit, you give us grace in Baptism.

All: **Lead us to know your will, Lord.**

Leader: Most Holy Trinity, help us know our vocation.

All: **Lead us to know your will, Lord.**

Leader: Glory be to the Father
and to the Son
and to the Holy Spirit,

All: **as it was in the beginning
is now, and ever shall be
world without end. Amen.**

Con mi familia

Esta semana...

En el Capítulo 8, "Creemos en el servicio", su niño aprendió que:

▶ En el Bautismo, todos recibimos el llamado para servir a Dios y a la Iglesia a través de una vida de santidad.

▶ El Orden Sagrado y el Matrimonio son los Sacramentos al Servicio de la Comunidad.

▶ Por el Orden Sagrado, los hombres bautizados se ordenan para servir a la Iglesia como sus líderes.

▶ En el Matrimonio, un hombre y una mujer bautizados hacen una promesa de por vida de amarse mutuamente libre, plena y fielmente para siempre.

Para saber más sobre otras enseñanzas de la Iglesia, consulten el *Catecismo de la Iglesia Católica,* 1533–1600, 1601–1666, y el *Catecismo Católico de los Estados Unidos para los Adultos,* páginas 261–292.

■ Vivimos como discípulos

El hogar cristiano con la familia es una escuela de discipulado. Elijan una de las siguientes actividades para hacer en familia, o creen una actividad similar ustedes mismos.

▶ **La fidelidad** es un fruto del Espíritu Santo que hace más fuertes los vínculos de las relaciones. Las parejas casadas se honran mutuamente por medio de la lealtad y el amor. ¿Cómo han mostrado a sus niños la manera de ser fieles discípulos de Jesús?

▶ Nombren cómo se aman y se cuidan unos a otros los miembros de la familia. Comenten cómo estos actos de amor los ayudan a crecer en el amor mutuo y hacia Dios.

▶ Decidan una manera en la que la familia puede agradecer a los sacerdotes y a los diáconos de la parroquia por su servicio a la comunidad. Comenten cómo y cuándo pondrán en práctica esa idea.

■ Compartir la Palabra de Dios

Lean juntos Marcos 9:33–35, el relato de Jesús en el que enseña a sus Apóstoles que están llamados a servir a los demás. Enfaticen que mientras todos nosotros estamos llamados a servir a Dios y a los demás por nuestro Bautismo, los hombres que reciben el Orden Sagrado y las parejas que celebran el Matrimonio son apartados para servir de una manera especial a toda la Iglesia.

■ Nuestro viaje espiritua

La gracia del discernimiento permite a una persona llegar a conocer y vivir una vida de santidad. El discernimiento es l disciplina de llegar por medio d la oración a un entendimiento y conocimiento más profundo de vivir la propia vocación. Anime a sus niños a memorizar y rezar el estribillo de la página 184 cuando se enfrenten a decisiones importantes.

Para hallar más ideas sobre las maneras en que su familia puede vivir como discípulos de Jesús, visiten **seanmisdiscipulos.com**

With My Family

This Week . . .

In Chapter 8, "We Believe in Service," your child learned:

- At Baptism, we each receive the call to serve God and the Church through a life of holiness.

- Holy Orders and Matrimony are the Sacraments at the Service of Communion.

- In Holy Orders, men are ordained to serve the Church as her leaders.

- In Matrimony, a baptized man and a baptized woman make a life-long promise to love one another freely, fully, faithfully and forever.

For more about related teachings of the Church, see *Catechism of the Catholic Church*, 1533–1600, 1601–1666, and the *United States Catholic Catechism for Adults*, pages 261–292.

We Live as Disciples

The Christian home and family is a school of discipleship. Choose one of the following activities to do as a family or design a similar activity on your own.

- **Faithfulness** is a fruit of the Holy Spirit that makes bonds in relationships stronger. Married couples honor one another through loyalty and love. How have you shown your children to be faithful disciples of Jesus?

- Name the loving and caring things that family members do for one another. Discuss how these acts of love help you to grow in love for one another and for God.

- Decide on a way your family can thank the priests and deacons in your parish for their service to the community. Discuss how and when you will implement your idea.

Sharing God's Word

Read together Mark 9:33–35, the account of Jesus teaching his Apostles that they were called to serve others. Emphasize that while all of us are called to serve God and others through our Baptism, men who receive Holy Orders and couples who celebrate Matrimony are set apart in a special way to serve the whole Church.

Our Spiritual Journey

The grace of discernment enables a person to come to know and live a life of holiness. Discernment is the discipline of prayerfully coming to a deeper knowledge and understanding of living one's vocation. Encourage your children to memorize and pray the refrain on page 185 when facing important choices.

For more ideas on ways your family can live as disciples of Jesus, visit **BeMyDisciples.com**

Lo que vendrá

En este capítulo el Espíritu Santo te invita a

- ✓ **Investigar** por qué las reglas son importantes.

- ✓ **Descubrir** las leyes que Dios nos entregó.

- ✓ **Decidir** cómo amar de la manera en que Dios nos ama.

Creemos en...

Creemos en...
El camino de Jesús

Nombra tres reglas que crees que todos debemos obedecer.

Hace muchos miles de años, Dios eligió a Moisés para que guiara a los israelitas hacia la libertad y terminar con la esclavitud en Egipto. Luego, en el Monte Sinaí, Dios dio a Moisés las leyes por las que los israelitas debían vivir como el Pueblo Elegido.

> *El Señor dijo a Moisés: "Ahora, pues, si ustedes me escuchan atentamente y respetan mi alianza, los tendré por mi propio pueblo entre todos los pueblos. Pues el mundo es todo mío, pero los tendré a ustedes como un reino de sacerdotes, y una nación que me es consagrada."*
>
> ÉXODO 19:5–6

Moisés bajó de la montaña y contó al pueblo lo que Dios había dicho. Luego Moisés subió la montaña, donde Dios le dio los Diez Mandamientos. Más tarde Moisés leyó en voz alta las Leyes de Dios al pueblo, y ellos respondieron:

> *"Obedeceremos a Yavé y haremos todo lo que Él pide."*
>
> ÉXODO 24:7

¿De qué manera nos ayudan las reglas en nuestra relación con los demás?

Moisés rompiendo las Tablas de la Ley
Gemaldegalerie, Berlín, Alemania
de Rembrandt

We Believe in . . .

The Way of Jesus

Looking Ahead

In this chapter the Holy Spirit invites you to

- ✓ Explore why rules are important.
- ✓ Discover the laws given to us by God.
- ✓ Decide on how to love as God loves us.

 What are three rules that you think everyone should obey?

Many thousands of years ago God chose Moses to lead the Israelites to freedom from slavery in Egypt. Then at Mount Sinai, God gave Moses his laws by which the Israelites were to live as his Chosen People.

The LORD said to Moses,

Therefore, if you hearken to my office and keep my covenant, you shall be my special possession, dearer to me than all other people, though the earth is mine. You shall be to me a kingdom of priests, a holy nation….

EXODUS 19:5-6

Moses went down from the mountain and told the people what God had said. Then he went back up the mountain and God gave Moses the Ten Commandments. Later, Moses read aloud God's Laws to the people, and they responded:

"All that the LORD has said, we will heed and do."

EXODUS 24:7

 How do rules help us in our relationships with one another?

Moses Smashing the Tablets of the Law
Gemaldegalerie, Berlin, Germany
by Rembrandt

Diez Mandamientos
Las Leyes de Dios reveladas a Moisés y a los israelitas en el Monte Sinaí.

El Gran Mandamiento
La enseñanza de Jesús que nos dice que amar a Dios y amar a nuestro prójimo son inseparables.

Castidad
La virtud que nos guía para expresar nuestra sexualidad humana a través de la modestia y la continencia.

Los Mandamientos de Dios

Dios quiere que vivamos juntos en paz y felicidad. Dios nos dio los **Diez Mandamientos** para ayudarnos a relacionarnos de manera amorosa con Él y con los demás. Los tres primeros Mandamientos nos enseñan cómo amar y servir a Dios. Los otros siete Mandamientos nos enseñan cómo amar y servir a los demás y a nosotros mismos.

Mandamiento	Explicación
1. Yo soy el Señor, tu Dios. No tendrás otros dioses fuera de mí.	Ponemos a Dios en primer lugar en nuestra vida. Amamos a Dios por sobre todas las cosas en la vida. Hablamos con Dios y lo escuchamos en oración.
2. No tomes en vano el nombre del Señor, tu Dios.	Debemos hablarle con respeto. No juramos ni insultamos ni usamos el nombre de Dios cuando estamos enojados.
3. Acuérdate del día del Señor, para santificarlo.	Adoramos a Dios los domingos y los días de precepto. Descansamos del trabajo el domingo en honor a Dios.
4. Respeta a tu padre y a tu madre.	Amamos, respetamos y obedecemos a nuestros padres y a todos los adultos que nos cuidan.
5. No mates.	Valoramos el don de Dios de la vida humana al honrar la dignidad de la persona y el cuidado del cuerpo humano.
6. No cometas adulterio.	Respetamos nuestro cuerpo y el cuerpo de los demás. Practicamos la virtud de la **castidad** al ser puros de mente, de corazón y de acción.
7. No robes.	Nunca tomamos cosas que pertenecen a otra persona. No nos copiamos en un examen.
8. No digas mentiras.	Somos sinceros y honestos en lo que decimos y hacemos.
9. No codicies la mujer de tu prójimo.	Respetamos las promesas que las personas casadas se han hecho mutuamente.
10. No codicies nada que sea de tu prójimo.	Estamos satisfechos con lo que tenemos y no somos celosos ni envidiosos.

ACTIVIDAD Corta la tabla de los Diez Mandamientos que está en esta página, o una copia, en pedacitos, como los de un rompecabezas. Luego vuelve a armar la tabla asegurándote de que coincidan apropiadamente el Mandamiento y su explicación.

God's Commandments

God wants us to live together in peace and happiness. God gave us the **Ten Commandments** to help us have loving relationships with him and each other. The first three Commandments teach us how to love and serve God. The other seven Commandments teach us how to love and serve others and ourselves.

Commandment	Explanation
1. I am the LORD your God: you shall not have strange gods before me.	We put God first in our lives. We love God above all else in life. We talk and listen to him in prayer.
2. You shall not take the name of the LORD, your God, in vain.	We are to speak with respect. We do not swear, curse, or use God's name in anger.
3. Remember to keep holy the LORD's Day.	We worship God on Sundays and holy days. We rest from work on Sundays in honor of God.
4. Honor your father and your mother.	We love, respect, and obey our parents, and those who care for us.
5. You shall not kill.	We cherish God's gift of human life by honoring the person's dignity and caring for the human body.
6. You shall not commit adultery.	We respect our bodies and the bodies of others. We practice the virtue of **chastity** by being pure in our minds, hearts, and actions.
7. You shall not steal.	We never take things that belong to someone else. We do not cheat.
8. You shall not lie.	We are truthful and honest in what we say and do.
9. You shall not covet your neighbor's wife	We respect the promises that married people have made to each other.
10. You shall not covet your neighbor's goods.	We are satisfied with what we have, and are not jealous or greedy.

ACTIVITY Cut the Ten Commandments chart on this page or a copy of it, into small pieces like a puzzle. Then reassemble the chart making sure you properly match the Commandment with the explanation.

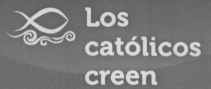

El Mandamiento más grande

Cuando se le pidió que mencionara el mandamiento más grande, Jesús resumió los Diez Mandamientos en su respuesta:.

[Jesús] le dijo: "Amarás al Señor tu Dios con todo tu corazón, con toda tu alma y con toda tu mente... Amarás a tu prójimo como a ti mismo".

MATEO 22:37, 39

Llamamos **el Gran Mandamiento** a la respuesta de Jesús porque nos enseña que las Leyes de Dios se basan en el amor a Dios y el amor al prójimo. Cuando seguimos el Gran Mandamiento, mostramos nuestro amor por Dios, por los demás y por nosotros mismos.

Los Diez Mandamientos y el Gran Mandamiento, que podemos descubrir a través de la Revelación Divina y la razón humana, nos ayudan a honrar y respetar a Dios y a las personas. Seguir las Leyes de Dios nos ayuda a prepararnos para el Reino de Dios de amor, paz y justicia.

ACTIVIDAD

Usa la Biblia para ubicar y leer 1.ª Corintios 13. Dibuja en el espacio en blanco símbolos que representen el amor cristiano.

Greatest Commandment

When asked to name the greatest Commandment, Jesus summed up the Ten Commandments in his answer:

> [Jesus] said, "You shall love the Lord, your God, with all your heart, with all your soul, and with all your mind. . . . You shall love your neighbor as yourself."
>
> MATTHEW 22:37, 39

We call Jesus' response **the Great Commandment**. because it teaches us that God's Laws are based on love of God and love of neighbor. When we follow the Great Commandment, we show our love for God, others and ourselves.

The Ten Commandments and the Great Commandment, which we can discover through Divine Revelation and human reason, help us to honor and respect God and people. Following God's Laws helps us prepare for God's Kingdom of love, peace, and justice.

ACTIVITY Use your Bible to locate and read 1 Corinthians 13. Draw symbols that represent Christian love in the space provided.

Catholics Believe

The Catholic Church has rules called precepts that help us meet our responsibilities to worship God and grow in our love for him and our neighbors. Among them is the obligation to participate in Mass on Sunday and to confess serious sins at least once a year.

193

Identidad católica

La Iglesia Católica enseña que Dios ha creado a cada persona con dignidad desde el momento de su concepción. Y basados en esta dignidad, cada uno de nosotros tiene derechos. Algunos de estos derechos son los alimentos, la vestimenta, la vivienda, la salud, la educación y un ingreso que mantenga a la familia. Desde la época de los Apóstoles, la Iglesia ha enseñado y trabajado por la justicia para todas las personas, especialmente para los necesitados.

Entrar al Reino

Jesús contó a sus discípulos sobre los que entrarían en el Reino de Dios. Les enseñó que los que entran al Reino son los que han amado a Dios, a los demás y a sí mismos. Lee El juicio final en Mateo 25:31–40.

En este pasaje de las Sagradas Escrituras, Jesús describe distintas maneras en las que podemos mostrar amor y misericordia hacia los demás. A estas acciones las llamamos Obras de Misericordia Espirituales y Corporales (la palabra *corporal* se relaciona con el cuerpo). Las Obras de Misericordia son maneras sencillas y prácticas en las que atendemos las necesidades físicas y espirituales de los demás. Jesús nos cuenta que cuando servimos a los demás, lo servimos a Él.

Obras de Misericordia	
Advertir a los pecadores.	Dar de comer al hambriento.
Enseñar al que no sabe.	Dar de beber al sediento.
Dar buen consejo a quienes están confundidos.	Vestir al desnudo.
Consolar al triste.	Visitar a los presos.
Ser pacientes con los demás.	Dar techo a quien no lo tiene.
Perdonar las injurias.	Visitar a los enfermos.
Rezar por los vivos y por los difuntos.	Enterrar a los muertos.

ACTIVIDAD Trabaja con un compañero, repasa algunos boletines parroquiales. Busca dos actividades que demuestren la manera en que tu parroquia practica las Obras de Misericordia. Toma nota e el espacio a continuación y, luego, cuenta a la clase los que hallaste.

_____

_____

_____

_____

Enter the Kingdom

Jesus told his disciples about those who will enter the Kingdom of God. He taught that those who enter the Kingdom will be those who have loved God, others, and themselves. Read about the Judgment of the Nations in Matthew 25:31–40.

In this Scripture passage, Jesus describes different ways we can show love and mercy to others. We call these actions the Corporal (the word *corporal* refers to the body) and Spiritual Works of Mercy. The Works of Mercy are practical, basic ways we care for the physical and spiritual needs of others. Jesus tells us that when we serve others, we serve him.

Works of Mercy	
Warn sinners.	Feed the hungry.
Teach the ignorant.	Give drink to the thirsty.
Give advice to those who are confused.	Clothe the naked.
Comfort those who suffer.	Visit those in prison.
Be patient with others.	Shelter the homeless.
Forgive injuries.	Visit the sick
Pray for the living and the dead.	Bury the dead.

ACTIVITY Working with a partner, review some parish bulletins. Look for two activities that demonstrate how your parish practices the Works of Mercy. Take notes in the space below, then report to the class your findings.

_____

_____

_____

_____

Catholic Identity

The Catholic Church teaches that God has created every person from the moment of his or her conception with dignity. And based upon this dignity, each of us has rights. Some of these rights include food, clothing, shelter, health, education, and an income that supports the family. Since the time of the Apostles, the Church has taught and worked for justice for all people, especially those most in need.

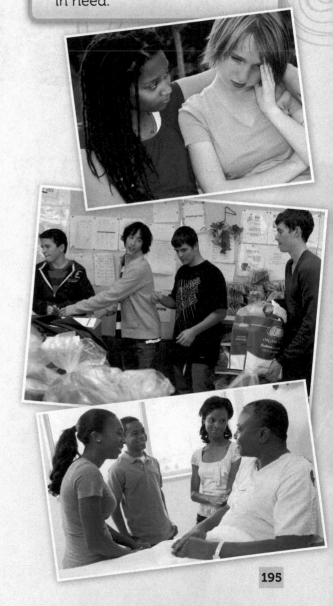

Justicia para todos

Catalina Drexel vivió desde mediados del siglo XIX hasta mediados del siglo XX. Catalina provenía de una acaudalada familia de Filadelfia. Siempre se le había enseñado que tenía la responsabilidad de cuidar a los necesitados. Cuando tuvo la edad apropiada, Catalina se unió a la comunidad religiosa llamada Hermanas de la Misericordia. Los periódicos de la época la llamaron la "monja más rica de América".

Durante un viaje en tren por los Estados Unidos, Catalina observó la pobreza del pueblo indígena americano. Sintió que Dios la estaba llamando a una vida de amoroso servicio. Cuando heredó la fortuna de su padre, donó el dinero a los indígenas americanos olvidados.

Catalina quería hacer más. Por lo que creó una comunidad religiosa nueva llamada Hermanas del Santísimo Sacramento. Durante los sesenta años siguientes, Catalina y las hermanas construyeron escuelas en veintiún estados. Catalina abrió la primera universidad católica para negros. Nunca dejó de trabajar por un trato justo e imparcial para todas las personas. Esta orden religiosa todavía se dedica a la educación de indígenas americanos y de afroamericanos.

Catalina supo que el amor de Dios y el amor al prójimo son inseparables. Como Jesús, Catalina respetó a todas las personas. Creía que Dios bendecía a todo ser humano por su belleza interior. Esta creencia la ayudó a tender su mano a los demás en amoroso servicio a través de las Obras de Misericordia. Actualmente, la Iglesia la honra como Santa Catalina Drexel. Su día festivo es el 3 de marzo.

¿Cómo puedes vivir las Obras de Misericordia tal como lo hizo Santa Catalina?

Justice for All

Katharine Drexel lived from the mid-1800s to the mid-1900s. Katharine came from a wealthy Philadelphia family. She was always taught that she had a responsibility to care for people in need. When she was old enough, Katharine joined the religious community called the Sisters of Mercy. The newspapers of her time called her the "richest nun in America!"

During a train trip across the United States, Katharine saw the poverty of the Native-American people. She felt God was calling her to a life of loving service. When she inherited her father's fortune, she donated money to the neglected Native-Americans.

Katharine wanted to do more. She started a new religious community called the Sisters of the Blessed Sacrament. Over the next sixty years, the Sisters built schools in twenty-one states. Katharine opened the first Catholic college for Blacks. She never stopped working for the just and fair treatment of all people. This religious order is still devoted to the education of Native-Americans and African-American people.

 How can you live Works of Mercy as Saint Katharine did?

Katharine knew that love of God and love of neighbor is inseparable. Like Jesus, Katharine respected every person. She believed God blesses every human being with inner beauty. This belief helped her to reach out to others in loving service through the Works of Mercy. Today the Church honors her as Saint Katharine Drexel. Her feast day is March 3.

YO SIGO A JESÚS

Los mandamientos de Dios te ayudan a saber cómo quiere Dios que vivas tu vida. Para saber si tus actos son buenos o malos, la Iglesia enseña que debes saber lo que haces, por qué lo haces y qué influencia tus actos. El Espíritu Santo siempre está contigo para guiarte en la elección de lo que es verdadero, bueno y hermoso.

ACTIVIDAD

Blog Amar como Dios ama

Imagina que tienes un blog que te permita a ti y a tus amigos informar cómo están siguiendo las Leyes de Amor de Jesús. Escribe el primer comentario en el que cuentas cómo amas como Dios ama.

_____

_____

_____

_____

Mi elección de fe

Esta semana amaré a los demás como Cristo me ama

_____

_____

_____

Ven, Espíritu Santo, ayúdame y guíame a tomar decisiones que muestren mi amor por ti y por los demás. Amén.

God's commandments help you to know how God wants you to live your life. To know if your actions are good or evil, the Church teaches that you must know what you are doing, why you are acting, and what is influencing your actions. The Holy Spirit is always with you to help guide you in choosing what is true, good, and beautiful.

ACTIVITY

Love Like God Blog

Imagine that you have a blog that allows you and your peers to report on how they are following Jesus' Law of Love. Write the first post telling how you love like God.

_____

_____

_____

_____

_____

My Faith Choice

This week I will love others as Christ loves me. I will:

_____

_____

_____

Come Holy Spirit, help and guide me to make decisions that show my love for you and others. Amen.

1. Dios nos dio los Diez Mandamientos para que tengamos vidas buenas.

2. El amor de Dios y el amor al prójimo se combinan en el Gran Mandamiento.

3. Jesús nos dio el Nuevo Mandamiento para amarnos los unos a los otros como Él nos ama.

REPASO DEL CAPÍTULO

Lee esta lista de maneras en las que podemos mostrar nuestro amor y nuestro respeto por Dios, por nosotros mismos y por los demás. Escribe el número que corresponda con uno de los Diez Mandamientos.

	Participar en la Misa del domingo.
	Decir la verdad.
	Escuchar y obedecer a los padres.
	Decir "no" a las sustancias dañinas.
	Vestir y actuar modestamente para respetar mi cuerpo.

Oración de petición

Líder: Amoroso Jesús, tu Gran Mandamiento nos enseña que el amor de Dios y el amor al prójimo son inseparables. Hoy rezamos por las personas que necesitan nuestro amor y cuidado, especialmente por:

_____

_____

(Invite a los estudiantes a que agreguen nombres.)

Todos: *(Respondan después de cada petición.)* **Señor, ayúdanos a amarnos y cuidarnos los unos a los otros.**

Líder: Señor Dios, ayúdanos a tender la mano a nuestro prójimo necesitado por medio de nuestras oraciones y nuestros actos.

Todos: **Amén**

Read this list of ways we can show our love and respect for God, ourselves, and others. Write the number that corresponds to one of the Ten Commandments.

	Participate during Mass on Sunday.
	Tell the truth.
	Listen to and obey parents.
	Say "no" to harmful substances.
	Dress and act modestly to respect my body.

TO HELP YOU REMEMBER

1. God gave us the Ten Commandments to live good lives.

2. Love of God and love of neighbor is combined in the Great Commandment.

3. Jesus gave us the New Commandment to love one another as he loves us.

A Prayer of Petition

Leader: Loving Jesus, your Great Commandment teaches us that love of God and love of neighbor are inseparable. We pray today for people who need our love and care, especially for:

_____

_____.

(*Invite students to add names.*)

All: (*Respond after each petition*). **Lord, help us to love and care for one another.**

Leader: Lord God, help us to reach out to our neighbors in need through our prayers and actions.

All: Amen.

Con mi familia

Esta semana...

En el Capítulo 9, "El camino de Jesús", su niño aprendió que:

▶ Los Diez Mandamientos son leyes dadas por Dios para que actuemos amorosamente.

▶ Jesús nos enseñó en el Gran Mandamiento que las Leyes de Dios se basan en el amor de Dios y el amor al prójimo.

▶ En la Última Cena, Jesús nos enseñó el Nuevo Mandamiento: Ámense unos a otros como yo los he amado.

▶ Las Obras de Misericordia nos guían en el cuidado de las necesidades espirituales y físicas de los demás.

Para saber más sobre otras enseñanzas de la Iglesia, consulten el *Catecismo de la Iglesia Católica,* 2052–2557, y el *Catecismo Católico de los Estados Unidos para los Adultos,* páginas 338–457.

■ Vivimos como discípulos

El hogar cristiano con la familia es una escuela de discipulado. Elijan una de las siguientes actividades para hacer en familia, o creen una actividad similar ustedes mismos.

▶ **Cuando obedecemos las leyes de Dios,** vivimos como discípulos de Jesús. Elegimos libremente seguir los caminos de Dios porque sabemos que Dios desea solamente lo que es mejor para nosotros. Esta semana premien a su niño por obedecer las Leyes de Dios.

▶ Estudien el Gran Mandamiento de la página 192 o de la página 278. Decidan una manera amorosa en la que la familia puede tender la mano a un prójimo necesitado.

▶ Lean en voz alta la Ley del Amor de la página 278. Hagan una lista para poner en la heladera de las muchas maneras en las que los miembros de la familia se demuestran amor entre sí.

■ Compartir la Palabra de Dios

Lean juntos 1.ª Juan 4:7–11. Enfaticen que Dios nos encomienda amarnos a nosotros mismos y a los demás tanto como Él nos ama.

■ Nuestro viaje espiritual

Las Obras de Misericordia son maneras sencillas y prácticas en las que nos preocupamos por las necesidades físicas y espirituales de los demás. Se basan en las enseñanzas de Jesús que están en Mateo 25:31–40. Repasen las listas de la página 278. Úsenlas para examinar su conciencia. Una de las Obras de Misericordia Espirituales es rezar por los vivos y por los difuntos. Animen a sus niños a rezar con regularidad por las necesidades de los demás.

Para hallar más ideas sobre las maneras en que su familia puede vivir como discípulos de Jesús, visiten

seanmisdiscipulos.com ▶

With My Family

This Week . . .

In Chapter 9, "The Way of Jesus," your child learned:

▶ The Ten Commandments are laws given by God to help us have loving relationships.

▶ Jesus teaches us in the Great Commandment: that God's Laws are based on love of God and love of neighbor.

▶ At the Last Supper, Jesus taught the New Commandment: Love one another as I love you.

▶ The Works of Mercy guide us in caring for the physical and spiritual needs of others.

For more about related teachings of the Church, see *Catechism of the Catholic Church*, 2052-2557, and the *United States Catholic Catechism for Adults*, pages 338-457.

■ We Live as Disciples

The Christian home and family is a school of discipleship. Choose one of the following activities to do as a family or design a similar activity on your own.

▶ **When we obey God's laws**, we live as disciples of Jesus. We freely choose to follow God's ways because we know God desires only what is best for us. Praise your child this week for obeying God's Laws.

▶ Study the Great Commandment on page 193 or 279. Decide on one loving way your family can reach out to a neighbor in need.

▶ Read aloud the Law of Love on page 279. Make a list for the refrigerator of the many ways your family members show love for one another.

■ Sharing God's Word

Read together 1 John 4:7–11. Emphasize that God commands us to love ourselves and others as much as he loves us.

■ Our Spiritual Journey

The Works of Mercy are practical ways that we can care for the physical and spiritual needs of others. They are based on Jesus' teachings found in Matthew 25:31-40. Review the lists on page 279. Use them to examine your conscience. One of the Spiritual Works of Mercy is to pray for the living and the dead. Encourage your children to pray regularly for the needs of others.

For more ideas on ways your family can live as disciples of Jesus, visit **BeMyDisciples.com**

Lo que vendrá

En este capítulo el Espíritu Santo te invita a

- ✓ **Investigar** el significado de la felicidad.
- ✓ **Descubrir** las enseñanzas de Jesús sobre las Bienaventuranzas.
- ✓ **Decidir** cómo ser una bendición para los demás.

¿Qué te sorprende de la descripción que hace Jesús de aquellos a quienes Dios ha bendecido?

Creemos en...
El Reino de Dios

¿Qué evidencia te indicaría que una persona ha recibido la bendición de Dios?

Un día una gran multitud se reunió para escuchar a Jesús. Jesús le dijo que quienes son bendecidos reciben felicidad. Dijo Jesús:

"Felices ustedes los pobres,
porque de ustedes es el Reino de Dios.
Felices ustedes los que ahora tienen hambre,
porque serán saciados.
Felices ustedes los que lloran,
porque reirán."

LUCAS 6:20–21

Chapter 10

We Believe in . . .
The Kingdom of God

> What evidence would tell you that a person was blessed by God?

One day a large crowd gathered to hear Jesus speak. He told them that happiness is given to those who are blessed. Jesus said,

> *"Blessed are you who are poor,
>   for the kingdom of God is yours.
> Blessed are you who are now hungry,
>   for you will be satisfied.
> Blessed are you who are now weeping,
>   for you will laugh."*

LUKE 6:20–21

> What surprises you in Jesus' description of who is blessed by God?

Las Bienaventuranzas

Se llama Bienaventuranzas a las enseñanzas de Jesús que describen a las personas que Dios bendice.

Cielo

El Cielo es la vida eterna con Dios, María y los Santos.

Vivir las Bienaventuranzas

Las enseñanzas de Jesús que se encuentran en los Evangelios según Mateo y según Lucas se llaman **Bienaventuranzas**. La palabra *bienaventuranza* significa "bendecido" o "feliz". Las Bienaventuranzas describen a quienes estarán felices con Dios. La siguiente tabla te ayudará a entender la promesa de felicidad que nos hizo Dios y cómo debemos vivir.

Las Bienaventuranzas Mateo 5:3–11	Cómo vivimos las Bienaventuranzas
Felices los que tienen el espíritu del pobre, porque de ellos es el Reino de los Cielos.	Tenemos el espíritu del pobre cuando depositamos nuestra confianza en Dios.
Felices los que lloran, porque recibirán consuelo.	Ayudamos a los que sufren para que sepan que Dios está con ellos.
Felices los pacientes, porque recibirán la tierra en herencia.	Tratamos a los demás humildemente, con respeto y con longanimidad.
Felices los que tienen hambre y sed de justicia, porque serán saciados.	Trabajamos para que todos reciban un trato justo. Compartimos nuestras bendiciones con los demás.
Felices los compasivos, porque obtendrán misericordia.	Somos generosos, buenos e indulgentes. Somos pacientes con los demás.
Felices los de corazón limpio, porque verán a Dios.	Amamos al prójimo como Jesús nos ama. Tratamos de ver a Jesús en todas las personas.
Felices los que trabajan por la paz, porque serán reconocidos como hijos de Dios.	Trabajamos por la paz en la Tierra de modo que estemos preparados para el Reino.
Felices los que son perseguidos por causa del bien, porque de ellos es el Reino de los Cielos.	Hacemos sacrificios para honrar el sacrificio de Jesús. Defendemos lo que es correcto, aun cuando no sea fácil.

 ¿Qué Bienaventuranzas has puesto en práctica ya?

Living the Beatitudes

Jesus' teachings found in the Gospels of Matthew and Luke are called **The Beatitudes**. The word *beatitude* means "blessed" or "happy." They describe the people who will be happy with God. The chart below will help you to understand God's promise of happiness and how we are to live.

The Beatitudes Matthew 5:3–11	How We Live the Beatitudes
Blessed are the poor in spirit, for theirs is the kingdom of heaven.	We are poor in spirit when we place our trust in God.
Blessed are they who mourn, for they will be comforted.	We help those who are hurting so they know God is with them.
Blessed are the meek, for they will inherit the land.	We humbly treat others with respect and kindness.
Blessed are they who hunger and thirst for righteousness, for they will be satisfied.	We work so that everyone will be treated justly. We share our blessings with others.
Blessed are the merciful, for they will be shown mercy.	We are generous, kind, and forgiving. We are patient with others.
Blessed are the clean of heart, for they will see God.	We love others as Jesus loves us. We try to see Jesus in all people.
Blessed are the peacemakers, for they will be called children of God.	We work for peace on Earth so we will be prepared for the Kingdom.
Blessed are they who are persecuted for the sake of righteousness, for theirs is the kingdom of heaven.	We make sacrifices to honor Jesus' sacrifice. We stand up for what is right, even when it is not easy.

Which of the Beatitudes have you already practiced?

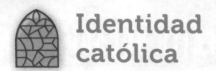
La Iglesia está comprometida con el bienestar de las personas. La solidaridad significa estar conectado con los demás en nuestra comunidad o con la sociedad en general. Las Bienaventuranzas nos ayudan a trabajar por lo que es bueno y justo para todos.

Prepararse para el Reino

Las Bienaventuranzas nos enseñan que el Reino de Dios pertenece a quienes creen en Jesús y en sus enseñanzas. Jesús nos enseñó a ser humildes, compasivos, pacíficos e indulgentes. Nos enseñó a tratar a todo el mundo con amor y justicia. Quienes trabajan para llevar la Buena Nueva de Jesús tienen la promesa del Reino de Dios.

Cuando vivimos las Bienaventuranzas, nos preparamos para el Reino de Dios. Creemos que el Reino de Dios estará completo cuando Jesús regrese en su gloria al final de los tiempos. En el Reino de Dios, viviremos en paz, amor y justicia perfectos.

Sin embargo, Dios no quiere que esperemos la llegada del Reino. Nos llama a llevar ahora paz, amor y justicia al mundo permanentemente. Es así como podemos prepararnos para la venida del Reino.

Felicidad eterna

Jesús enseñó que, si seguimos su ejemplo, participaremos en la felicidad eterna con Dios. Esta vida eterna con Dios se llama **Cielo**. Todos quienes han sido fieles a Dios, como María y los otros Santos, viven para siempre con Dios en la felicidad perfecta.

ACTIVIDAD Usa el código para leer lo que Jesús promete a los que viven las Bienaventuranzas.

A= 1   C=2   D=3   E=4   G=5   I=6   L=7   M=8   N=9
O=10   P=11   R=12   S=13   T=14   U=15

_____! _____ _____ __
¡1 7 4 5 12 1 14 4 ! 13 4 12 1   5 12 1 9 3 4   14 15

_____ __ __ _____
12 4 2 10 8 11 4 9 13 1   4 9   4 7   2 6 4 7 10.

BASADO EN MATEO 5:12

Preparing for the Kingdom

The Beatitudes teach us that the Kingdom, or reign, of God belongs to people who believe in Jesus and his teachings. He taught us to be humble, merciful, peaceful, and forgiving. Jesus taught us to treat everyone with love and justice. Those who have worked to bring the Good News of Jesus are promised the Kingdom of God.

When we live the Beatitudes, we prepare for the Kingdom of God. We believe that the Kingdom of God will be completed when Jesus returns in glory at the end of time. In the Kingdom of God, we will live in perfect peace, love, and justice.

Yet God does not want us to wait for the coming of the Kingdom. He calls us to continually help bring peace, love, and justice to the world now. This is how we can prepare for the coming of the Kingdom.

Everlasting Happiness

Jesus taught that if we follow his example, we will share in everlasting happiness with God. This everlasting life with God is called **Heaven**. All those who have been faithful to God, like Mary and the other Saints, live forever with God in perfect happiness.

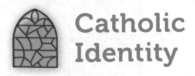

ACTIVITY Use the code to read what Jesus promises to those who live the Beatitudes.

A= 1   B=2   C=3   D=4   E=5   G=6   H=7   I=8   J=9
L=10   O=11   N=12   R=13   T=14   U=15   V=16   W=17   Y=18

__ __ __ __ __ __ __ ! __ __ __ __   __ __ __ __ __   __ __ __ __   __ __
13 5 9 11 8 3 5 ! 18 11 15 13   13 5 17 1 13 4   17 8 10 10   2 5

__ __ __ __ __   __ __   __ __ __ __ __ __ .
6 13 5 1 14   8 12   7 5 1 16 5 12.

BASED ON MATTHEW 5:12

209

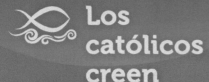

Los católicos creen

La Iglesia Católica enseña que hay tres Virtudes Teologales. Son la fe, la esperanza y la caridad. Estas virtudes son también dones que recibimos de Dios para ayudarnos a vivir una vida santa en la Tierra. Si vivimos una vida santa, podremos participar en la vida eterna de la Santísima Trinidad en el Cielo.

? ¿De qué manera te da esperanza la promesa de la felicidad eterna que nos hizo Dios?

Eterna recompensa

Cuando nuestra vida terrenal termine, Dios nos juzgará según cómo hayamos amado, a Él, a los demás y a nosotros mismos. Si hemos vivido como discípulos de Jesús, entonces Dios nos recompensará. Dios nos promete la eterna recompensa de la felicidad sin fin. Puedes leer en Mateo 25:31–40 acerca de cómo nos juzgarán.

La buena noticia es que Dios nos ayuda a alcanzar esta felicidad. A través de los Sacramentos, recibimos la gracia de Dios. Los Mandamientos, las Obras de Misericordia y las Bienaventuranzas de Dios nos enseñan a vivir una vida santa y feliz. La Iglesia nos ayuda a crecer en el amor a Dios y al prójimo. El Hijo de Dios es nuestro Maestro y nuestro Salvador. El Espíritu Santo nos guía en el conocimiento de lo que es verdadero, bueno y hermoso. Esas bendiciones de Dios nos llenan de esperanza.

Durante la Misa, después de que rezamos el Padre Nuestro, el sacerdote expresa nuestra esperanza en todas las promesas de Dios con esta oración:

Líbranos de todos los males, Señor,
y concédenos la paz en nuestros días,
para que, ayudados por tu misericordia,
vivamos siempre libres de pecado
y protegidos de toda perturbación,
mientras esperamos
la gloriosa venida de nuestro Salvador Jesucristo.

RITO DE LA COMUNIÓN, MISAL ROMANO

Esta es la herencia de nuestra fe católica. Esta fe ha sido transmitida de Jesús a los Apóstoles, a nosotros y a todas las generaciones de creyentes. Cuando vivimos la fe todos los días con alegría, paz y felicidad, agradecemos a Dios sus numerosas bendiciones.

Eternal Reward

When our earthly lives are over, God will judge us on how well we have loved him, others, and ourselves. If we have lived as disciples of Jesus, then God will reward us. God promises us the eternal reward of everlasting happiness. You can read about how we will be judged in Matthew 25:31–40.

The good news is that God helps us to attain this happiness. Through the Sacraments, we receive God's grace. God's Commandments, the Works of Mercy, and the Beatitudes show us how to live happy and holy lives. The Church helps us to grow in love of God and neighbor. The Son of God is our Teacher and Savior. The Holy Spirit guides us in knowing what is true, good, and beautiful. Such blessings from God fill us with hope.

During Mass, after we pray the Our Father, the priest expresses our hope in all of God's promises with this prayer:

Deliver us, Lord, we pray, from every evil,
graciously grant peace in our days,
that, by the help of your mercy,
we may be always free from sin
and safe from all distress,
as we await the blessed hope
and the coming of our Savior, Jesus Christ.

COMMUNION RITE, ROMAN MISSAL

This is the heritage of our Catholic faith. This faith has been passed down from Jesus to the Apostles, to us, and to every generation of believers. We thank God for his many blessings by living the faith every day with joy, peace, and happiness.

How does God's promise of everlasting happiness give you hope?

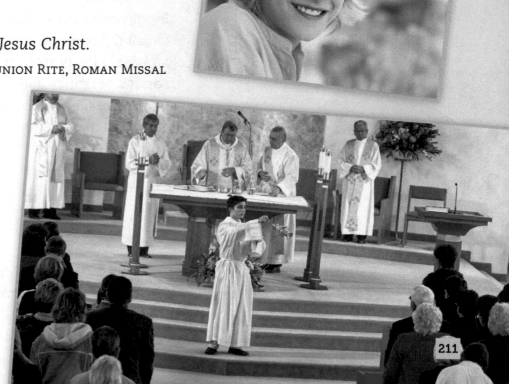

Mártires católicos

Roque González (1576–1628) nació y se crió en Paraguay. Ya desde pequeño, Roque había decidido que sería sacerdote jesuita. Se inició trabajando como misionero entre los indígenas del Paraguay, en las zonas no colonizadas de su país.

Los jefes de las tribus se oponían al Padre Roque. Ellos creían en un cacique poderoso, Ñezú, de quien se decía que tenía poderes mágicos. A pesar de los peligros, el Padre Roque fundó pequeñas comunidades católicas.

La palabra del ministerio del Padre Roque se divulgó y llegó a los jesuitas de todo el mundo. Dos jóvenes sacerdotes españoles, el Padre Alfonso Rodríguez y el Padre Juan del Castillo, viajaron para unirse a la obra del Padre Roque.

Ñezú estaba furioso por que tantos indígenas se hubieran vuelto discípulos de Jesús. Así que juró matar a los misioneros. Una mañana, después de celebrar Misa, el Padre Roque, el Padre Alfonso y el Padre Juan fueron atacados y asesinados por hombres de Ñezú.

Estos valientes sacerdotes vivieron la Bienaventuranza: "Felices los que son perseguidos por causa del bien, porque de ellos es el Reino de los Cielos". La Iglesia los honra como santos mártires. Los mártires son las personas asesinadas por su compromiso con su fe cristiana. Podemos rezar por todos los misioneros que, como los mártires de Paraguay, comparten con los demás la Buena Nueva de Jesús.

¿Qué sacrificios haces tú para seguir a Jesús?

Catholic Martyrs

Roque Gonzalez (1576–1628) was born and raised in Paraguay. When he was a young boy, Roque decided to become a Jesuit priest. He began working as a missionary among the natives of Paraguay in the unsettled areas of his country.

Tribal leaders opposed Fr. Roque. They believed in a powerful local leader, Nezu, who was said to have magical powers. Fr. Roque established small Catholic communities in spite of the dangers.

Word of Fr. Roque's ministry spread to Jesuits around the world. Two young priests from Spain, Fr. Alphonsus Rodriguez and Fr. Juan de Castillo, traveled to join Fr. Roque in his work.

Nezu was angry that so many natives had become disciples of Jesus. He vowed to kill the missionaries. One morning after celebrating Mass, Fr. Roque, Fr. Alphonsus, and Fr. Juan were attacked and killed by Nezu's men.

These brave priests lived the Beatitude, "Blessed are they who are persecuted for the sake of righteousness, for theirs is the kingdom of heaven." The Church honors them as martyred saints. Martyrs are those who are killed because of their commitment to their Christian faith. We can pray for all missionaries, who, like the martyrs of Paraguay, share the Good News of Jesus with others.

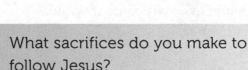
What sacrifices do you make to follow Jesus?

YO SIGO A JESÚS

Una "persona bienaventurada" es feliz por la promesa de felicidad eterna que nos hizo Dios. Cuando vives las Bienaventuranzas, muestras a los demás lo que significa que Dios te haya bendecido. Aun en los momentos difíciles, Dios te bendecirá con la fortaleza y la determinación para soportarlos. En tiempos de alegría, Dios te bendecirá con la humildad para compartir esos momentos con los demás.

ACTIVIDAD Debajo de cada fotografía de la página, escribe la Bienaventuranza que se está viviendo.

_____

_____

_____

_____

_____

_____

Mi elección de fe

Esta semana seré una "persona bienaventurada". Yo voy a

_____

_____

_____

Querido Jesús, ayúdame a entender que vivir como discípulo tuyo me trae felicidad verdadera. Amén.

A "beatitude person" is happy because of God's promise of everlasting happiness. When you live the Beatitudes, you show others what it means to be blessed by God. Even through difficult times, God will bless you with the strength and resolve to endure. In joyous times, God will bless you with the humility to share such moments with others.

ACTIVITY Under each photograph on the page, write the Beatitude that is being lived.

_____

_____

_____

_____

_____

_____

My Faith Choice

This week I will be a "beatitude person." I will:

_____

_____

_____

Dear Jesus, help me to understand that living as your disciple brings me true happiness. Amen.

1. Las Bienaventuranzas describen cómo deben vivir los discípulos de Jesús.

2. El Cielo son la vida y la felicidad eternas con Dios y todos los Santos.

3. Dios nos juzgará según cómo lo hayamos amado a Él y a los demás.

REPASO DEL CAPÍTULO

Escribe las palabras que faltan para completar cada Bienaventuranz

1. Felices los pacientes, porque recibirán _____

2. Felices los que tienen _____ y _____ de justicia, porque serán saciados.

3. Felices los de _____, porque verán a Dios.

4. Felices los que _____, porque serán reconocidos como _____ de Dios.

Preparar el terreno

Líder: Nuestra verdadera felicidad está con Dios. Cuand vivimos las Bienaventuranzas, preparamos el terreno para el Reino de Dios. Señor, enséñanos a tener el espíritu del pobre, para que podamos

Todos: **Preparar el terreno.**

Líder: Señor, enséñanos a ser pacientes, para que podamos

Todos: **Preparar el terreno.**

Líder: Señor, enséñanos a ser compasivos, para que podamos

Todos: **Preparar el terreno.**

Líder: Señor, enséñanos a ser de corazón limpio, para que podamos

Todos: **Preparar el terreno.**

Líder Señor, enséñanos a trabajar por la paz, para que podamos

Todos: **Preparar el terreno para el Reino de Dios. Amén.**

Fill in the missing words to complete each beatitude.

1. Blessed are the meek, for they will _____.

2. Blessed are they who_____and _____for righteousness, for they will be satisfied.

3. Blessed are the _____ of _____, for they will see God.

4. Blessed are the _____, for they will be called_____of God.

1. The Beatitudes describe how Jesus' disciples are to live.

2. Heaven is everlasting life and happiness with God and all the saints.

3. God will judge us on how well we have loved him and others.

Pave the Way

Leader: Our true happiness is with God. When we live the Beatitudes, we pave the way for the Kingdom of God. Lord, teach us to be poor in spirit, so we can

All: **pave the way.**

Leader: Lord, teach us to be meek, so we can

All: **pave the way.**

Leader: Lord, teach us to be merciful, so we can

All: **pave the way.**

Leader: Lord, teach us to be clean of heart, so we can

All: **pave the way.**

Leader: Lord, teach us to be peacemakers, so we can

All: **pave the way for the Kingdom of God. Amen**

217

Con mi familia

Esta semana...

En el Capítulo 10, "Creemos en el Reino de Dios", su niño aprendió que:

- ▶ Las Bienaventuranzas describen cómo deben vivir los discípulos de Jesús.
- ▶ El Cielo son la vida y la felicidad eternas con Dios y todos los Santos.
- ▶ Dios nos juzgará según cómo hayamos amado, a Él y a los demás.
- ▶ Las bendiciones y la promesa de Dios nos llenan de esperanza.

Para saber más sobre otras enseñanzas de la Iglesia, consulten el *Catecismo de la Iglesia Católica,* 1023–1029, 1716– 1729, y el *Catecismo Católico de los Estados Unidos para los Adultos,* páginas 86, 93, 111, 152, 154, 308, 331, 449, 456, 500, 508.

▢ Vivimos como discípulos

El hogar cristiano con la familia es una escuela de discipulado. Elijan una de las siguientes actividades para hacer en familia, o creen una actividad similar ustedes mismos.

- ▶ **El Poder de la esperanza de los discípulos** es un signo de que deseamos que Dios cumpla sus promesas y de que confiamos en ello. Tenemos esperanza gracias a la Resurrección. ¿Cómo vive su familia la Virtud Teologal de la esperanza?
- ▶ Hablen acerca de las maneras específicas en las que su familia puede trabajar por la paz en la vida diaria normal. Intercambien una señal de la paz como signo de su compromiso de llevar más paz al mundo.

▢ Compartir la Palabra de Dios

Comparen las dos versiones de las Bienaventuranzas que se encuentran en Mateo 5:1–12 y en Lucas 6:20–23. Enfaticen que, en ambas versiones, Jesús nos promete que quienes observen las Bienaventuranzas serán recompensados en el Cielo.

▢ Nuestro viaje espiritual

Las Bienaventuranzas nos indican el camino a la felicidad verdadera. Piensen en las numerosas bendiciones de su vida. ¿Cómo le agradecen a Dios por esas bendiciones? ¿Cómo comparten sus bendiciones con los demás? Recen las Bienaventuranzas con frecuencia y pídanle al Espíritu Santo que los guíe para ser una fuente de felicidad para los demás. En familia, denle gracias a Dios diariamente por las bendiciones que han recibido. La gratitud hacia Dios se encuentra en el corazón de la vida cristiana.

Para hallar más ideas sobre las maneras en que su familia puede vivir como discípulos de Jesús, visiten **seanmisdiscipulos.com**

With My Family

This Week . . .

In Chapter 10, "We Believe in the Kingdom of God," your child learned:

▶ The Beatitudes describe how disciples of Jesus are to live.

▶ Heaven is everlasting life and happiness with God and all of the Saints.

▶ God will judge us on how well we have loved him, others, and ourselves.

▶ God's blessings and promise fill us with hope.

For more about related teachings of the Church, see *Catechism of the Catholic Church*, 1023–1029, 1716–1729, and the *United States Catholic Catechism for Adults*, pages 86, 93, 111, 152, 154, 308, 331, 449, 456, 500, 508.

We Live as Disciples

The Christian home and family is a school of discipleship. Choose one of the following activities to do as a family or design a similar activity on your own.

▶ **The Disciple Power of Hope** is a sign that we desire and trust that God will fulfill his promises. We have hope because of the Resurrection. How does your family live the Theological Virtue of hope?

▶ Talk about specific ways your family can work for peace in the normal daily life of the family. Exchange a sign of peace as a sign of your commitment to bringing more peace into the world.

Sharing God's Word

Compare the two versions of the Beatitudes found in Matthew 5:1–12 and Luke 6:20–23. Emphasize that in both versions, Jesus promises us that those who keep the Beatitudes will be rewarded in Heaven.

Our Spiritual Journey

The Beatitudes tell us the way to true happiness. Consider the many blessings in your life. How do you thank God for his blessings? How do you share your blessings with others? Pray the Beatitudes frequently, asking the Holy Spirit to guide you in being a source of happiness for others. Thank God daily as a family for the blessings you have received. Gratitude toward God is at the heart of Christian living.

For more ideas on ways your family can live as disciples of Jesus, visit **BeMyDisciples.com**

Lo que he aprendido

LISTA DE PALABRAS

Pueblo de Dios

Misterio Pascual

Pentecostés

Misa

Santísima Trinidad

I. Completa las oraciones

Llena los espacios en blanco con las palabras de la lista que mejor completan la oración.

1. El misterio de que Dios es Uno en Tres Personas Divinas es la _____.

2. La Pasión, Resurrección y gloriosa Ascensión de Jesús se llama_____.

3. El Espíritu Santo se posó sobre los discípulos en _____.

4. La Iglesia se compone de miembros que son el _____.

5. Celebramos la Liturgia de la Palabra y la Liturgia Eucarística durante la _____.

II. Une las columnas

Une el término de la Columna A con la definición de la Columna B.

Columna A	Respuesta	Columna B
1. Sacramentos de la Iniciación Cristiana		**A.** La felicidad eterna con Dios
2. La Eucaristía		**B.** Los tres Sacramentos del Bautismo, la Confirmación y la Eucaristía, que llevan a una persona a una comunión plena con la Iglesia
3. Amor matrimonial		**C.** La regla de amar a Dios y al prójimor
4. Cielo		**D.** Nos une completamente a Cristo y a la Iglesia
5. El Gran Mandamiento		**E.** Signo del amor de Cristo por la Iglesia

What I Have Learned

I. Complete the Sentences

Fill in the blanks, using one of the words from the word bank that best completes the sentence.

WORD BANK

People of God

Paschal Mystery

Pentecost

Mass

Holy Trinity

1. The mystery of One God in Three Divine Persons is the_____.

2. The Passion, Resurrection and glorious Ascension of Jesus is called the_____.

3. The Holy Spirit came upon the disciples on _____.

4. The Church is made of members who are the _____.

5. We celebrate the Liturgy of the Word and the Liturgy of the Eucharist during the_____.

II. Match the Columns

Match the term in Column A with the definition in Column B.

Column A	Answer	Column B
1. Sacraments of Christian Initiation		**A.** Everlasting happiness with God
2. The Eucharist		**B.** The three Sacraments of Baptism, Confirmation, and the Eucharist, which bring a person into full communion with the Church
3. Marital love		**C.** The rule of loving God and neighbor
4. Heaven		**D.** Joins us most fully to Christ and the Church.
5. The Great Commandment		**E.** A sign of Christ's love for the Church

III. Respuesta breve

1. Nombra tu relato preferido del Evangelio acerca de Jesús. Luego, explica qué te gustó específicamente de este relato y cómo te encontraste con Jesús en él.

_____

_____

2. Nombra una de las personas de fe a quien admires. Explica qué admiras de esta persona.

_____

_____

_____

3. ¿En qué enseñanza importante de la Iglesia has logrado creer?

_____

_____

_____

IV. Actividad grupal

Trabaja con un compañero para componer una canción o una poesía acerca de la vida de un discípulo de Jesús. Asegúrate de identificar algunas de las creencias importantes de un discípulo y cómo debe actuar un discípulo de Jesús.

III. Short Answer

1. Name your favorite Gospel story about Jesus. Then, explain what you specifically liked about this story and how you encountered Jesus in it.

   _____

   _____

2. Name one of the faith-filled people whom you admire. Explain what you admire about this person.

   _____

   _____

   _____

3. What is an important teaching of the Church that you have come to believe in?

   _____

   _____

   _____

IV. Group Activity

Work with a partner to compose a song or poem about the life of a disciple of Jesus. Be sure to identify some of the important beliefs of a disciple and how a disciple of Jesus is to act.

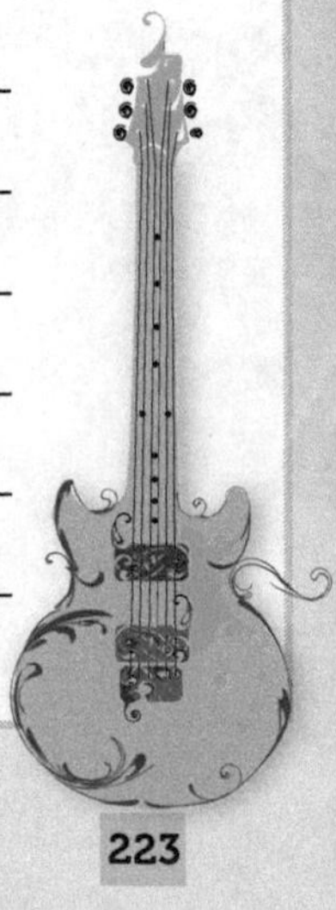

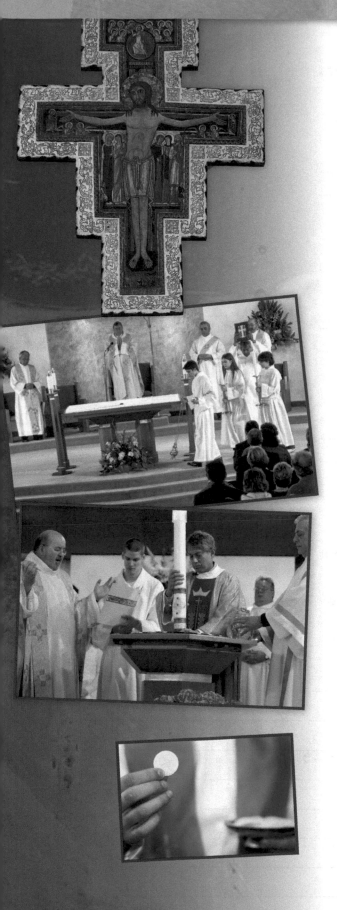

Celebramos nuestra fe

Los católicos celebran su fe en la Eucaristía dominical, en la Misa diaria y en cualquier momento que celebren uno de los Siete Sacramentos. Muchos católicos celebran los Sacramentos de la Iniciación Cristiana por separado. Se bautizan cuando son bebés, reciben su Primera Comunión a los siete u ocho años de edad y se confirman entre los doce y los trece años. En las Iglesias de Oriente, la Confirmación se recibe inmediatamente después del Bautismo y a continuación se celebra la Eucaristía.

Quizás tú estés preparándote para celebrar todos los Sacramentos de la Iniciación Cristiana en la Misa de la Vigilia Pascual. O tal vez ya te has bautizado como católico, pero todavía no te has confirmado o no has tomado tu Primera Sagrada Comunión. Si ya te has bautizado en otra religión cristiana, probablemente no vuelvas a bautizarte. Harás una sola Profesión de Fe, luego te confirmarás, tomarás tu Primera Comunión y te recibirán en la comunión plena con la Iglesia.

Una de las cosas maravillosas de la Iglesia es que ella te encuentra dondequiera que estés en tu viaje de fe. ¡La comunidad de tu parroquia te recibe con gran júbilo! En esta sección aprenderás lo que sucede cuando la Iglesia celebra cualquiera de los tres Sacramentos de Iniciación. También aprenderás cómo se celebra el Sacramento de la Penitencia y de la Reconciliación.

Después aprenderás los principales tiempos del año eclesiástico que celebran el Misterio Pascual. Por último, al final de esta sección, encontrarás una lección especial que te servirá para repasar con alegría los Sacramentos de la Iniciación Cristiana que ya has recibido y lo que harás a continuación para vivir como discípulo de Jesús.

We Celebrate Our Faith

Catholics celebrate their faith at the Sunday Eucharist, at daily Mass, and whenever any of the Seven Sacraments are celebrated. Many Catholics celebrate the Sacraments of Christian Initiation separately. They are baptized as infants, receive their First Communion when they are seven or eight, and are confirmed when they are between twelve and sixteen years of age. In Eastern Churches, Confirmation is received immediately after Baptism and is followed by celebrating the Eucharist.

You might be preparing to celebrate all the Sacraments of Christian Initiation at the Easter Vigil Mass. Or you might have been baptized as a Catholic, but have not yet been confirmed or made your First Holy Communion. If you were baptized in another Christian religion, you will likely not be baptized again. You will make only a Profession of Faith, then be confirmed, and make your First Communion, and be received into full communion with the Church.

One of the wonderful things about the Church is that she meets you wherever you are on your journey of faith. Your parish community welcomes you with great joy! In this section you will learn what happens when the Church celebrates any of the three Sacraments of Initiation. You will also learn how to celebrate the Sacrament of Penance and Reconciliation.

Next, you will learn about the major seasons of the Church's year that celebrate the Paschal Mystery. Finally, you will find a special lesson at the end of this section to help you to look back with joy on any Sacraments of Christian Initiation that you have received, and on what you will do next to live as a disciple of Jesus.

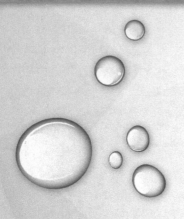

Celebramos...
El Bautismo

Joey Santo estaba entusiasmado. En la Misa de hoy, iban a bautizar a Claire, su última hermanita. Toda la Iglesia celebraría la nueva vida en Cristo de Claire. El Padre John saludó a la familia y conoció a los padrinos de Claire.

Recepción del niño

Joey se sentó con su familia en el primer banco. El Padre John inició la Misa como de costumbre con la Señal de la Cruz. El Rito del Bautismo estaba por empezar. El rito de un sacramento es la manera en que lo celebramos. El Padre John invitó a la familia y a los padrinos a pasar al frente. Preguntó:

—¿Qué nombre quieren darle ustedes a su hija?
El señor y la señora Santo dijeron:
—Claire.
Luego el Padre John preguntó:
—¿Qué piden a la Iglesia de Dios para Claire?
La familia Santo y los padrinos respondieron juntos:
—El Bautismo.
Entonces el Padre John dijo:
—Claire, la comunidad cristiana te recibe con alegría. En nombre de ella yo te marco con la señal de la cruz.

Joey observó que el Padre hacía una señal de la cruz en la frente de Claire e invitaba a sus padres a que hicieran lo mismo.

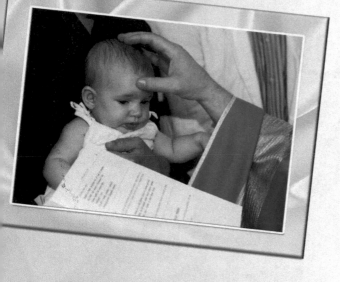

We Celebrate . . .
Baptism

Joey Santo was excited. Today, his new baby sister Claire was going to be baptized at Mass. The whole Church would celebrate Claire's new life in Christ. Father John greeted the family and met Claire's godparents.

Reception of the Child

Joey sat with his family in the front pew. Father John began the Mass as usual with the Sign of the Cross. The Rite of Baptism was about to begin. The rite of a sacrament is the way that we celebrate it. He invited the family and the godparents to come forward. He asked, "What name have you given your child?" Mr. and Mrs. Santo said, "Claire."

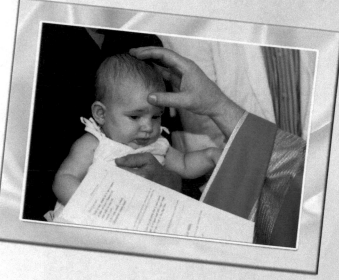

Father John then asked, "What do you ask of God's Church for Claire?" The Santo family and godparents answered together, "Baptism."

Then Father John said, "Claire, the Christian community welcomes you with great joy. In its name, I claim you for Christ our Savior." Joey watched as Father traced a sign of the cross on Claire's forehead and invited his parents to do the same.

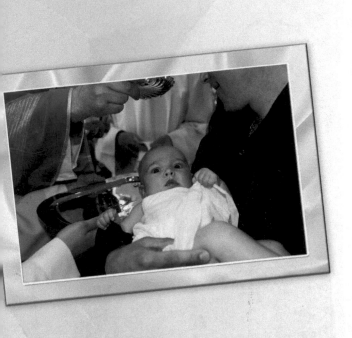

Liturgia de la Palabra

La Misa continuó con las lecturas de la Sagrada Escritura. Joey escuchó la homilía del Padre John. El Padre dijo que el Bautismo de Claire era para todos un buen recordatorio del día en que se habían hecho miembros de la Iglesia.

Celebración del sacramento

Joey y su familia se acercaron a la pila bautismal. El Padre le pidió a Dios que librara a Claire del Pecado Original y que enviara al Espíritu Santo para que estuviera con ella siempre. Con un óleo bendecido, que se llama Óleo de los Catecúmenos, trazó una cruz sobre el corazón de Claire.

Luego el Padre John levantó las manos sobre el agua de la pila bautismal. Le pidió a Dios que santificara el agua para que todos los que se bautizaran pudieran resucitar a la nueva vida con Jesús.

Después de bendecir el agua, el Padre John pidió a todos que hicieran una profesión de fe diciendo "Sí" a una serie de preguntas. Todos juntos prometieron apartarse del mal. Expresaron su creencia en Dios, Jesucristo, el Espíritu Santo y la fe de la Iglesia. Los padres y los padrinos de Claire prometieron educarla en la fe ya que habían deseado bautizarla.

Después, el Padre John derramó agua tres veces en la cabeza de Claire. Dijo:
—Yo te bautizo en el nombre del Padre, y del Hijo, y del Espíritu Santo.

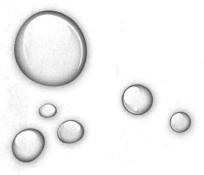

Liturgy of the Word

The Mass continued with readings from Scripture. Joey listened to Father John's homily. Father said that Claire's Baptism is a good reminder to everyone of the day when they became members of the Church.

Celebration of the Sacrament

Joey and his family went to stand near the baptismal font. Father asked God to free Claire from Original Sin and to send the Holy Spirit to be with her always. He used blessed oil, called the Oil of Catechumens, to trace a cross over Claire's heart.

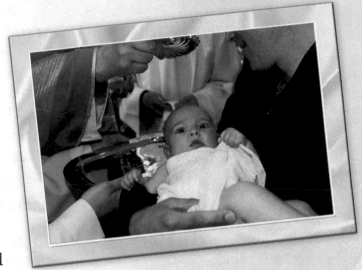

Then Father John raised his hands over the water in the baptismal font. He asked God to make the water holy so all who are baptized can rise to new life with Jesus.

After the blessing over the water, Father John asked everyone to make a profession of faith by saying "I do" to a series of questions. Together, everyone promised to turn away from evil. They expressed their belief in God, Jesus Christ, the Holy Spirit, and the faith of the Church. Claire's parents and godparents had promised to bring her up in the faith since they desired her to be baptized.

Then Father John poured water over Claire's head three times. He said, "I baptize you in the name of the Father, and of the Son, and of the Holy Spirit."

Unción y túnica blanca

Luego Joey vio cómo el Padre John ungía a Claire en la coronilla con un óleo que se llama Santo Crisma. El Padre explicó que esto es un signo de que ahora Claire participa en la misión de Jesús de una manera especial.

Después le puso a Claire una túnica blanca. La vestidura blanca indica que, a través del Bautismo, Claire se había revestido de Cristo.

Vela encendida

El Padre John le pidió al papá de Joey que le encendiera a Claire una vela del cirio pascual. Y dijo:
—Recibe la luz de Cristo.

Luego rezó por que los Santo mantuvieran viva la llama de la fe en el corazón de Claire.

Rito de conclusión

Al final de la Misa, el Padre John tomó a Claire en sus brazos. Dijo:
—¡Esta es Claire Santo, nuestro miembro más reciente de la Iglesia Católica!

Todos sonrieron y aplaudieron. El Bautismo de Claire fue una gran celebración para la familia de Joey y para la parroquia.

Joey también aplaudió. Pensó en cómo podría él ayudar a que Claire creciera en la fe. "Yo puedo ser un buen ejemplo para mi hermana —decidió—. ¡Eso es lo que hacen los hermanos mayores!".

Basado en el Rito del Bautismo para un solo niño

Anointing and White Robe

Then Joey watched as Father John anointed Claire on the top of her head with oil that is called Sacred Chrism. He explained that this is a sign that Claire now shares in Jesus' mission in a special way.

Father John then placed a white robe on Claire. The white garment shows that, through Baptism, Claire had put on Christ.

Lighted Candle

Father asked Joey's dad to light a candle for Claire from the Easter candle. Father John said, "Receive the light of Christ." He prayed that the Santos would keep the flame of faith alive in Claire's heart.

Conclusion of the Rite

At the end of the Mass, Father John took Claire in his arms. He said, "This is Claire Santo, our newest member of the Catholic Church!" Everyone smiled and clapped. Claire's Baptism was a great celebration for Joey's family and the parish.

Joey joined in the applause. He thought about how he could help Claire grow in faith. "I can be a good example to my sister," he decided. "That's what big brothers do!

Based on the Rite of Baptism for One Child

Celebramos...
La Confirmación

Elda y sus compañeros de clase habían pasado más de un año preparándose para la Confirmación. Aprendieron que para confirmarse debían profesar la fe, estar en estado de gracia, desear recibir el Sacramento y prepararse para ser discípulos de Jesús dentro de la Iglesia y en el mundo. Asistieron a las clases, cumplieron horas de servicio y participaron en un retiro espiritual que incluyó una noche. Hoy el Obispo los confirmaría en una Misa especial.

Elda eligió a Carley, su prima mayor, como madrina. Antes de este año, las primas nunca habían hablado de Jesús, pero, durante estos meses de preparación, Elda supo lo importante que era la fe católica para Carley. Apenas la noche anterior, después del ensayo de la Confirmación, Carley le había contado a Elda que estaba ahorrando para ir a la Jornada Mundial de la Juventud con el grupo de adolescentes de su parroquia.

La Misa comienza

Elda y Carley entraron en la iglesia en procesión con los otros confirmandos y sus padrinos. El Obispo Martin y el Padre Boland, el pastor de Elda, ocuparon su lugar junto al altar. El Obispo dio la bienvenida a todos y guió a la asamblea en la oración. Luego se proclamó la Palabra de Dios en la Liturgia de la Palabra.

We Celebrate . . .

Confirmation

Ella and her classmates had spent more than a year preparing for Confirmation. They learned that to be confirmed they must profess the faith, be in the state of grace, desire to receive the Sacrament, and prepare to be a disciple of Jesus within the Church and in the world. They attended classes, performed service hours, and participated in an overnight retreat. Today the bishop would confirm them at a special Mass.

Ella chose her older cousin, Carley, as her sponsor. The cousins had never talked about Jesus before this year, but during these months of preparation Ella learned how important the Catholic faith was to Carley. Just last night, after Confirmation practice, Carley told Ella that she was saving up to go to World Youth Day with the teen group from her parish.

The Mass Begins

Ella and Carley processed into church with the other candidates and sponsors. Bishop Martin and Father Boland, Ella's pastor, took their places near the altar. The bishop welcomed everyone. He led the assembly in prayer. Then God's Word was proclaimed in the Liturgy of the Word.

Presentación de los confirmandos

Se llamó a cada confirmando por el nombre. Los confirmandos avanzaron hacia el santuario con sus padrinos para presentarse al Obispo. La señora González, una de las catequistas, leyó una declaración para contarle al Obispo cómo se habían preparado los confirmandos para la Confirmación.

La homilía del Obispo

El Obispo explicó la importancia de la Confirmación en la vida de un católico. Le preguntó a Elda y a los demás confirmandos si estaban dispuestos a continuar la obra de Jesús en el mundo. Les recordó que el Espíritu Santo estaría con ellos siempre.

Los alentó:

—¡Recen! ¡Recen todos los días!

Elda y sus compañeros se pusieron de pie. Renovaron sus promesas bautismales a medida que el Obispo les preguntaba. Juntos, profesaron su fe públicamente, renunciaron al pecado y expresaron su creencia en la Santísima Trinidad.

Imposición de las manos

El Obispo Martin extendió las manos sobre los confirmandos. Rezó para pedirle a Dios que enviara al Espíritu Santo a fortalecer a los confirmandos y a ungirlos para que se parecieran más a Cristo. Rezó para que el Espíritu Santo fuera su Protector y su Guía, y para que los colmara con los Dones del Espíritu Santo.

Presentation of the Candidates

Each candidate was called by name. The candidates came forward to the sanctuary with their sponsors to be presented to the bishop. Mrs. Gonzalez, one of the catechists, read a statement telling the bishop how the candidates had prepared for Confirmation.

The Bishop's Homily

The Bishop explained the importance of Confirmation in the life of a Catholic. He asked Ella and the other candidates if they were ready to continue Jesus' work in the world. He reminded them that the Holy Spirit would always be with them. He encouraged them to "Pray! Pray every day!"

Ella and her classmates stood. They renewed their baptismal promises as the bishop questioned them. Together, they professed their faith publicly, renounced sin, and expressed their belief in the Holy Trinity.

The Laying on of Hands

Bishop Martin extended his hands over the candidates. The bishop prayed, asking God to send the Holy Spirit to strengthen the candidates and to anoint them to be more like Christ. He prayed that the Holy Spirit would be their Helper and Guide, and fill each one with the Gifts of the Holy Spirit.

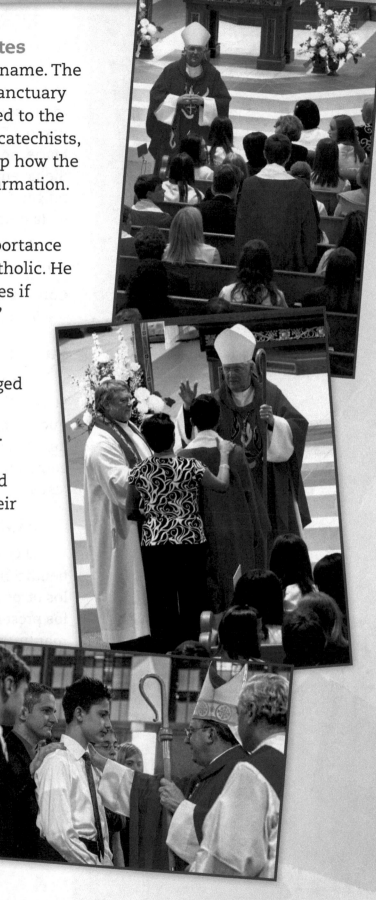

235

La unción con el Crisma

Uno por uno, los confirmandos y sus padrinos se acercaron al Obispo Martin. Carley colocó la mano sobre el hombro derecho de Elda. El Obispo llamó a Elda por su nombre de Confirmación, Marie, en honor a su abuela y a nuestra Bienaventurada Madre. El Obispo Martin hundió su pulgar derecho en el Santo Crisma e hizo la señal de la cruz en la frente de Elda diciendo:

—Elda Marie, recibe por esta señal el Don del Espíritu Santo.

Con voz clara y firme, Elda Marie respondió:
—Amén.

La Liturgia Eucarística

Inmediatamente después se celebró la Liturgia Eucarística. De pequeña, Elda había aprendido que recibir el Cuerpo y la Sangre de Cristo en la Eucaristía la alimentaría y la fortalecería para vivir como un discípulo bautizado y confirmado de Jesús.

Oración sobre el pueblo

El Obispo Martin concluyó la Misa con una bendición especial. Extendió las manos sobre Elda, los otros adolescentes recién confirmados y todos los presentes. Rezó pidiéndole a Dios Padre que mantuviera vivos los Dones del Espíritu Santo en su corazón para que pudieran salir al mundo a proclamar con confianza la Buena Nueva de Jesucristo.

Elda rezó por llegar a ser una fiel testigo de Jesús. Se sentía preparada para proclamar la Buena Nueva a los demás a través de sus palabras y sus acciones bondadosas.

Basado en el Ritual para la Confirmación

The Anointing with Chrism

One by one, the candidates and their sponsors approached Bishop Martin. Carley placed her hand on Ella's right shoulder. The bishop called Ella by her Confirmation name, Marie, in honor of her grandmother and our Blessed Mother. Bishop Martin dipped his right thumb into Sacred Chrism and made the sign of the cross on Ella's forehead, saying, "Ella Marie, be sealed with the Gift of the Holy Spirit." Ella Marie responded, "Amen," in a clear, confident voice.

The Liturgy of the Eucharist

Soon thereafter the Liturgy of the Eucharist was celebrated. Ella had learned as a young child that receiving the Body and Blood of Christ in the Eucharist would nourish and strengthen her to live as a baptized and confirmed disciple of Jesus.

Prayer over the People

Bishop Martin concluded the Mass with a special blessing. The bishop extended his hands over Ella, the other newly confirmed teens, and all present. He prayed asking God the Father to keep the gifts of the Holy Spirit alive in their hearts so they could go out into the world and confidently proclaim the Good News of Jesus Christ.

Ella prayed that she would be a faithful witness for Jesus. She felt ready to proclaim the Good News to others through her loving words and actions.

Based on the Rite of Confirmation

La Eucaristía

La oración más grandiosa y más importante de la Iglesia Católica es la Misa, la Divina Liturgia. En la Misa, nos reunimos para adorar a Dios Padre como el Cuerpo de Cristo inspirado por el Espíritu Santo. La Misa hace presente el sacrificio de Jesús en la cruz. En la Misa, Jesús está verdaderamente presente con nosotros. Cristo está presente de cuatro maneras: en el sacerdote que conduce nuestro culto, en la Palabra de Dios proclamada, en el Cuerpo y la Sangre de Cristo, y en la comunidad de los fieles reunidos en el nombre de Cristo.

Procesión de entrada e himno de apertura

Durante los Ritos Iniciales, el sacerdote y quienes lo asisten en la Misa entran en procesión mientras nosotros nos ponemos de pie y cantamos el himno de apertura.

Acto Penitencial

Pensamos en nuestros pecados. Pedimos por el perdón de Dios y las oraciones de la Iglesia.

Gloria

Cantamos el *Gloria*, que es un himno de alabanza a Dios.

Oración inicial

Rezamos una oración inicial.

We Celebrate . . .
The Eucharist

The greatest and most important prayer of the Catholic Church is the Mass, the Divine Liturgy. At Mass, we come together to worship God the Father as the Body of Christ inspired by the Holy Spirit. The Mass makes present the sacrifice of Jesus on the cross. Jesus is truly present with us at Mass. Christ is present in four ways: in the priest who leads our worship, in the Word of God proclaimed, in the Body and Blood of Christ, and in the community of the faithful gathered in Christ's name.

Entrance Procession and Opening Hymn

During the Introductory Rites, the priest and those assisting him in the Mass enter in procession as we stand and sing the opening hymn.

Penitential Act

We think about our sinfulness. We ask for God's forgiveness and for the prayers of the Church.

Gloria

We sing the Gloria, which is a hymn of praise to God.

Collect

We pray the Collect.

La Liturgia de la Palabra

Primera lectura

El lector lee un relato o una lección, generalmente del Antiguo Testamento.

Salmo Responsorial

Cantamos las respuestas a un salmo del Antiguo Testamento.

Segunda lectura

El lector lee generalmente algo de uno de los libros del Nuevo Testamento que no sean los Evangelios.

Aclamación del Evangelio

Cantamos el *Aleluya* u otra aclamación de alabanza mientras el sacerdote o el diácono se prepara para leer el Evangelio.

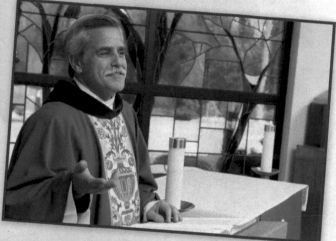

Evangelio

Nos ponemos de pie en reverencia mientras el sacerdote o el diácono proclama el Evangelio.

Homilía

El sacerdote o el diácono nos habla del significado del Evangelio y de las otras lecturas de la Sagrada Escritura.

Profesión de fe

Generalmente recitamos el Credo de Nicea para profesar nuestra creencia en lo que la Iglesia enseña.

Plegaria Universal

Rezamos por la Iglesia, el Papa y los obispos, y por las necesidades de todo el pueblo de Dios. También rezamos por las necesidades de los miembros de la comunidad de nuestra parroquia.

The Liturgy of the Word

First Reading
The lector reads a story or a lesson, usually from the Old Testament.

Responsorial Psalm
We sing the responses to a psalm from the Old Testament.

Second Reading
The lector usually reads from one of the books in the New Testament, other than the Gospels.

Gospel Acclamation
We sing "Alleluia" or another acclamation of praise as the priest or deacon prepares to read the Gospel.

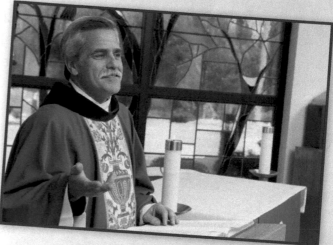

Gospel
We stand in reverence as the priest or deacon proclaims the Gospel.

Homily
The priest or deacon tells us about the meaning of the Gospel and the other Scripture readings.

Profession of Faith
We usually recite the Nicene Creed to profess our belief in what the Church teaches.

Universal Prayer
We pray for the Church, the Pope and bishops, and for the needs of all of God's people. We also pray for the needs of the members of our parish community.

La Liturgia Eucarística

Preparación del altar y los dones

Llevamos al altar nuestros dones del pan y el vino. Además entregamos ofrendas para los pobres y donaciones de dinero para la Iglesia.

La Plegaria Eucarística

En esta oración de alabanza y acción de gracias, el sacerdote alaba a Dios Padre y nos invita a levantar el corazón al Señor en oración. Nos unimos a los ángeles y decimos o cantamos el *Santo, santo, santo*.

El sacerdote le reza al Espíritu Santo para pedirle que el pan y el vino se conviertan en el Cuerpo y la Sangre de Jesús. Recuerda con nosotros el relato de la Última Cena. Cuando el sacerdote reza la Consagración, oímos las propias palabras de Jesús: "Esto es mi Cuerpo" y "Este es el cáliz de mi Sangre". Jesucristo se hace presente bajo la apariencia del pan y el vino.

Misterio de la fe

Después de la Consagración, proclamamos el misterio de nuestra fe. Recordamos que Jesús padeció la muerte en la cruz y resucitó en gloria. Por ejemplo, cantamos o decimos: "Anunciamos tu muerte, proclamamos tu resurrección. ¡Ven, Señor Jesús!" o las palabras de otra aclamación.

El Gran Amén

Al final de la Plegaria Eucarística, cantamos gozosos y con devoción: "Amén".

La Oración del Señor

Al inicio del Rito de la Comunión, rezamos juntos la oración que Jesús nos enseñó: la Oración del Señor, que también se llama Padre Nuestro.

Rito de la paz

Participamos en el Rito de la paz con quienes nos rodean.

The Liturgy of the Eucharist

Preparation of the Altar and Gifts

We bring our gifts of bread and wine to the altar. We also give gifts for the poor and donations of money for the Church.

The Eucharistic Prayer

In this prayer of praise and thanksgiving, the priest praises God the Father and invites us to lift up our hearts to the Lord in prayer. We join with the angels and say or sing the "Holy, Holy, Holy."

The priest prays to the Holy Spirit, asking that the bread and wine become the Body and Blood of Jesus. He recalls with us the story of the Last Supper. When the priest prays the Consecration, we hear Jesus' own words, "This is my Body" and "This is the chalice of my Blood." Jesus Christ becomes truly present under the appearances of bread and wine.

Mystery of Faith

After the Consecration, we proclaim the mystery of our faith. We remember that Jesus suffered death on the cross and is risen in glory. For example, we sing or say "We proclaim your Death, O Lord, and profess your Resurrection until you come again" or words from another acclamation.

The Great Amen

At the conclusion of the Eucharistic Prayer, we sing joyfully in prayer "Amen."

The Lord's Prayer

At the beginning of the Communion Rite, we pray together the prayer that Jesus taught us: the Lord's Prayer, which is also called the Our Father.

Sign of Peace

We share the Sign of Peace with those around us.

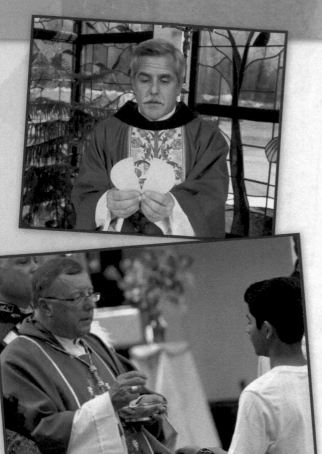

Fracción del pan

Cantamos la oración del Cordero de Dios mientras el sacerdote y el diácono se preparan para la distribución de la Sagrada Comunión.

Sagrada Comunión

Para que una persona reciba la Sagrada Comunión válidamente, debe encontrarse en estado de gracia. Quiere decir que no debe haber cometido ningún pecado mortal desde la última vez que celebró el Sacramento de la Penitencia. Si nos encontramos en estado de gracia, caminamos con reverencia a recibir en la Eucaristía el Cuerpo y la Sangre del Jesús Resucitado. Cuando recibimos la Hostia Consagrada, el sacerdote, el diácono o el ministro extraordinario de la Sagrada Comunión dice: "El Cuerpo de Cristo". Nosotros respondemos: "Amén".

Cuando recibimos la Copa de Vino, el sacerdote, el diácono o el ministro extraordinario de la Sagrada Comunión dice: "La Sangre de Cristo". Nosotros respondemos: "Amén".

A continuación, regresamos a nuestro lugar y nos quedamos un momento en silencio para rezar y dar gracias, o cantamos una canción acerca del don de la Sagrada Comunión.

Bendición

Durante los Ritos de Conclusión, hacemos la Señal de la Cruz mientras el sacerdote nos bendice en el nombre del Padre, del Hijo y del Espíritu Santo. Nosotros respondemos: "Amén".

Despedida

Cuando concluye la celebración de la Misa, el sacerdote o el diácono nos dice que vayamos en paz. Nosotros cantamos un himno de agradecimiento y alabanza mientras el sacerdote, el diácono y los monaguillos se retiran del altar en procesión.

Breaking of the Bread

We sing the Lamb of God prayer as the priest and deacon prepare for the distribution of Holy Communion.

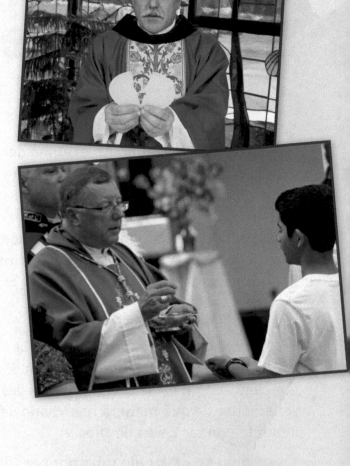

Holy Communion

For a person to receive Holy Communion validly, he or she must be in the state of grace. This means that they must not have committed any mortal sins since the last time they celebrated the Sacrament of Penance. If we are in the state of grace, we reverently walk up to receive the Body and Blood of the Risen Jesus in the Eucharist. When we receive the Consecrated Host, the priest, deacon, or extraordinary minister of Holy Communion says, "The Body of Christ." We respond, "Amen."

When we receive the Cup of Wine, the priest, deacon, or extraordinary minister of Holy Communion says, "The Blood of Christ." We respond, "Amen."

After this, we return to our places and spend time in quiet prayer and thanksgiving, or sing a song focused on the gift of Holy Communion.

Blessing

During the Concluding Rites we make the Sign of the Cross as the priest blesses us in the name of the Father, and of the Son, and of the Holy Spirit. We respond, "Amen."

Dismissal

As the celebration of the Mass concludes, the priest or deacon tells us to go in peace. We sing a hymn of thanks and praise as the priest, deacon, and altar servers leave the altar in procession.

Celebramos...
El Rito de la Penitencia

Nos preparamos para celebrar el Sacramento de la Penitencia y de la Reconciliación haciendo un examen de conciencia. Observamos detenidamente las decisiones que hemos tomado. Nos hacemos responsables de las veces que elegimos libremente pecar, con lo cual ofendimos a Dios, y herimos a los demás y nos herimos a nosotros mismos.

Examen de conciencia

Como ayuda para formarte bien la conciencia, puedes hacer un examen de conciencia. Con estas preguntas, puedes reflexionar de qué manera has vivido de acuerdo con las Leyes de Dios.

▸ ¿Cómo he mostrado mi amor por Dios y le he agradecido por todo lo que Él ha provisto?

▸ ¿He usado con respeto los nombres de Dios, de Jesús y de María?

▸ ¿Participo en la Misa dominical cada semana?

▸ ¿He obedecido siempre a mis padres y a los adultos que se encargan de mí?

▸ ¿Muestro respeto por el don de la vida humana que proviene de Dios?

▸ ¿En qué medida he respetado mi cuerpo y el cuerpo de los demás?

▸ ¿He tomado algo que no me pertenece? ¿Hago trampas?

▸ ¿Soy sincero en mis pensamientos y en mis palabras? ¿Evito y condeno las habladurías y los rumores?

▸ ¿He sido modesto en mi apariencia y en mi comportamiento? ¿Soy puro en mis pensamientos, en mis palabras y en mis actos?

▸ ¿Me dan envidia las bendiciones de los demás? ¿Estoy satisfecho con lo que tengo? ¿Soy generoso con los necesitados?

The Rite of Penance

We prepare to celebrate the Sacrament of Penance and Reconciliation by making an examination of conscience. We look closely at the decisions we have made. We take responsibility for the times we have freely chosen to sin, thereby offending God and hurting others and ourselves.

Examination of Conscience

To help form one's conscience well, you can make an examination of conscience. Here you can reflect on how you have lived according to God's Laws.

- How have I shown my love for God and thanked him for all that he has provided?
- Have I used the names of God, Jesus, and Mary with respect?
- Do I participate in Mass on Sunday each week?
- When have I obeyed my parents and those adults who care for me?
- Do I show respect for God's gift of human life?
- How have I respected my body and the bodies of others?
- Have I taken something that does not belong to me? Do I cheat?
- Am I truthful in my thoughts and words? Do I avoid and condemn gossip and rumors?
- How have I been modest in my appearance and behavior? Am I pure in my thoughts, words, and deeds?
- Am I jealous of the blessings of others? Am I satisfied with what I have? Am I generous to people in need?

El Rito de la Penitencia individual

1. **Te reciben.** Entras al confesionario. El sacerdote te saluda y te recuerda que confíes en el amor y en la misericordia de Dios. Mencionas la última vez que te confesaste. Junto con el sacerdote, haces la Señal de la Cruz.

2. **Escuchas la Palabra de Dios.** A veces, el sacerdote lee un relato de la Biblia relacionado con la misericordia de Dios y la necesidad del perdón.

3. **Confiesas tus pecados y aceptas la penitencia.** Le confiesas al sacerdote todos tus pecados graves. Lo mejor que puedas, le cuentas al sacerdote tus pecados y con qué frecuencia los cometiste. Él no puede romper el secreto de confesión. Todos los pecados confesados al sacerdote permanecen en secreto. El sacerdote te explica cómo debes vivir con amor. Te da una penitencia para que repares tus pecados. Puede pedirte que hagas un acto bondadoso o que reces ciertas oraciones.

4. **Rezas una oración de arrepentimiento.** Por amor a Dios y disculpándote sinceramente por haber cometido tus pecados, expresas el arrepentimiento perfecto de ellos rezando la Oración del Penitente. Si solamente te arrepientes por otras razones, como el temor a ser castigado o a que tus amigos te desaprueben, tu arrepentimiento es imperfecto.

5. **Recibes la absolución.** El sacerdote extiende las manos sobre tu cabeza. Dice las palabras de absolución o de perdón:

   Yo te absuelvo de tus pecados en el nombre del Padre, y del Hijo, y del Espíritu Santo. Amén.

   Cuando el sacerdote te absuelve, puedes hallar consuelo porque sabes que Dios te ha perdonado.

6. **Das gracias a Dios por su perdón.** El sacerdote dice: "Da gracias al Señor, porque es bueno". Tú respondes: "Porque es eterna su misericordia". Después de celebrar el Sacramento de la Penitencia y de la Reconciliación, puedes rezar con tus palabras para agradecerle a Dios su amor piadoso y para pedirle que te ayude a dirigir tu vida más plenamente hacia el Él.

The Rite of Penance for Individuals

1. **You are welcomed.** You enter the confessional. The priest welcomes and reminds you to trust in God's love and mercy. You mention the last time you went to Confession. Together with the priest, you make the Sign of the Cross.

2. **You listen to God's Word.** Sometimes the priest will read a story from the Bible related to God's mercy and the need for forgiveness.

3. **You confess your sins and accept penance.** You confess all serious sins to the priest. As best you can, you tell the priest your sins and how often you committed them. He cannot break the seal of confession. All sins confessed to the priest remain secret. He helps you understand how to live with love. The priest gives you a penance to make amends for your sins. He may ask you to do a kind act or to say certain prayers.

4. **You pray a prayer of sorrow.** Out of love for God and by being truly sorry for your sins, you express perfect sorrow for them by praying an Act of Contrition. If you are only sorry for other reasons, such as fear of being punished or that your friends will not approve of you, your contrition is imperfect.

5. **You receive absolution.** The priest extends his hands over your head. He says the words of absolution or forgiveness:

    I absolve you from your sins in the name of the Father, and of the Son, and of the Holy Spirit. Amen.

    As the priest absolves you, you can find comfort in knowing that God forgives you.

6. **You thank God for his forgiveness.** The priest says, "Give thanks to the Lord, for he is good." You respond, "His mercy endures forever." After you have celebrated the Sacrament of Reconciliation, you can pray in your own words, thanking God for his merciful love, and asking for his help in turning your life more fully toward God.

Celebramos...

El año eclesiástico

Aunque muchas de las cosas que ves y oyes en la Misa son iguales cada domingo, algunas son diferentes. Las lecturas que escuchas son diferentes cada semana. Además, seguramente notas que el color de los carteles y de las vestiduras del sacerdote y de los otros ministros también cambian a lo largo del año. Todos los cambios nos ayudan a saber qué parte del año eclesiástico estamos celebrando. Al ciclo del año eclesiástico lo llamamos año litúrgico.

Empezamos el año litúrgico celebrando por anticipado el nacimiento de Jesucristo durante el tiempo de Adviento. Los cuatro tiempos principales del año eclesiástico son el Adviento, la Navidad, la Cuaresma y la Pascua.

En el centro de nuestro año de culto, está el Triduo Pascual. Comienza al atardecer del Jueves Santo y termina en la tarde del Domingo de Pascua, y es nuestra celebración por tres días del Misterio Pascual.

Las otras semanas del año eclesiástico componen el Tiempo Ordinario. Es el período más largo del año.

Durante todos los tiempos litúrgicos, nos reunimos en días especiales llamados solemnidades o días festivos. Algunos días festivos celebran los misterios de nuestra fe. Otras solemnidades y días festivos honran a mujeres y hombres santos que forman parte de la historia de la fe católica.

Celebrar el año eclesiástico del culto nos permite participar durante el año en el plan amoroso de Dios para la Salvación en Jesucristo.

 ¿Cómo podrías celebrar la vida de Jesús durante el año?

We Celebrate . . .
The Church Year

While many things you see and hear at Mass are the same each Sunday, some things are different. You listen to the readings that are different each week. You might also notice that the color of the banners and the vestments of the priest and other ministers also change throughout the year. All of the changes help us to know what part of the Church's year we are celebrating. We call the Church's yearly cycle the liturgical year.

We begin the liturgical year by celebrating in anticipation the birth of Jesus Christ during the season of Advent. Advent, Christmas, Lent, and Easter are the four main seasons of the Church's year.

The Easter Triduum is at the center of our year of worship. Beginning on the evening of Holy Thursday and ending on Easter Sunday evening, the Triduum is our three-day celebration of the Paschal Mystery.

Ordinary Time is made up of all the other weeks in the Church's year. It is the longest period of the year.

All throughout the liturgical seasons, we gather on special days called solemnities or feasts. Some feasts, celebrate the mysteries of our faith. Other solemnities and feasts, honor the holy men and women who are part of the Catholic faith story. Celebrating the Church's year of worship enables us to take part in God's loving plan of Salvation in Jesus Christ throughout the year.

 How might you celebrate the life of Jesus throughout the year?

Celebramos...
El ciclo de los tiempos

Puedes unirte a la Iglesia para celebrar en la liturgia durante todo el año. En cada parte de la rueda, escribe una manera en la que puedes celebrar la vida de Jesús. Por ejemplo, durante el tiempo de Adviento, puedes encender una vela para anticiparte al nacimiento de Jesús.

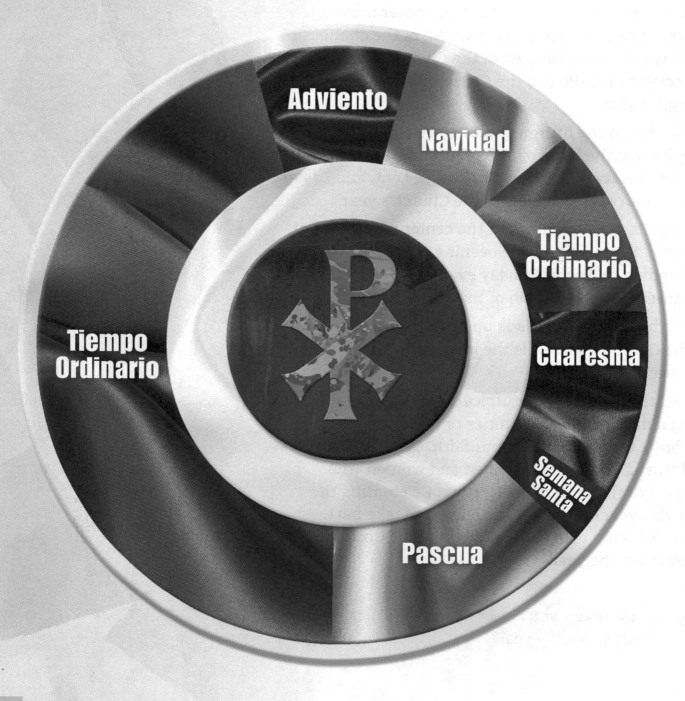

The Cycles of the Seasons

You can join with the Church to celebrate in the liturgy throughout the year. In each part of the wheel, write one way you can celebrate the life of Jesus. For example, during the season of Advent, you can light a candle in anticipation of the birth of Jesus.

Celebramos...
El Adviento

Durante el mes de diciembre, muchos se preparan para celebrar la Navidad. La Iglesia celebra el tiempo de Adviento durante las cuatro semanas previas a la Navidad. Este es un período de gran anticipación de la llegada de Jesucristo. No celebramos solamente el nacimiento de nuestro Salvador, sino también su regreso al final de los tiempos.

El Adviento es el momento en el que la Iglesia recuerda la promesa de Dios de enviarnos al Salvador. En la Misa, escuchamos relatos del Antiguo Testamento acerca de esta promesa de un mesías. Además, damos gracias y alabanza para que hoy Cristo venga a nosotros en los sacramentos. Durante este tiempo de esperanza, anhelamos su regreso final cuando el Reino de Dios se complete.

En cada uno de los cuatro domingos durante el Adviento, podemos encender una vela en una corona de Adviento. Estas cuatro velas nos ayudan a contar las semanas hasta la Navidad, ya que resultan un recordatorio visual de lo que anticipamos ansiosamente, la venida de nuestro Salvador. La vela encendida nos recuerda también que Jesús es la Luz del Mundo.

Podemos prepararnos para la Navidad siendo una luz para los demás. Podemos reflexionar sobre lo importante que es Jesús en nuestra vida. Podemos buscar maneras de amar a los demás como Jesús nos ama a nosotros. Podemos ofrecer el don de nosotros mismos en el servicio de unos a otros. Durante el tiempo de Adviento, podemos celebrar la esperanza por la salvación en Jesucristo.

 ¿Cómo puede tu servicio a los demás ser un don para ellos?

Advent

During the month of December, many people prepare to celebrate Christmas. The Church celebrates the season of Advent, during the four weeks before Christmas. This is a time of great anticipation of the arrival of Jesus Christ. We celebrate not only the birth of our Savior, but also his coming again at the end of time.

Advent is the time the Church remembers God's promise to send us the Savior. At Mass, we listen to stories from the Old Testament about this promise of a messiah. We also give thanks and praise for Christ coming to us in the sacraments today. During this season of hope, we long for his final return when the Kingdom of God will be complete.

On each of the four Sundays during Advent, we may light a candle on an Advent wreath. These four candles help us count the weeks until Christmas by providing a visual reminder of what we eagerly anticipate, the coming of our Savior. The lighted candle also reminds us that Jesus is the Light of the World.

We can prepare for Christmas by being a light for others. We can reflect on how important Jesus is in our lives. We can find ways to love others as Jesus loves us. We can offer the gift of ourselves in service to one another. During the season of Advent, we can celebrate hope because of salvation in Jesus Christ.

 How can your service for others be a gift to them?

Celebramos...
La Navidad

Antes de que Jesús naciera, el pueblo judío esperaba ansiosamente que Dios le enviara al mesías, el que lo salvaría de toda la oscuridad de la desesperanza. Jesús es el Mesías, el que Dios envió para salvar al mundo.

El Evangelio nos cuenta que la gloria del Señor brilló en la noche oscura sobre el sitio donde los pastores estaban cuidando a sus ovejas. Estos pastores se asustaron, pero un ángel trajo la buena nueva: *"[H]oy, en la ciudad de David, ha nacido para ustedes un Salvador, que es el Mesías y el Señor"* (Lucas 2:11).

Tal como lo anunció el ángel, Jesús, el Hijo de Dios Encarnado, nació en Belén, la ciudad de David. Siglos antes, David, rey más grande de Israel, también había nacido en esta ciudad. El ángel les hizo este anuncio a los pastores, trabajadores humildes que cuidaban ovejas en la noche. Esto indica que Jesús es el Mesías y el Señor de todos.

Hoy seguimos celebrando con júbilo el nacimiento de Jesucristo, el Salvador del mundo. Glorificamos y alabamos a Dios por esta ocasión de gozo. Así es como celebramos el tiempo de Navidad: glorificando al Señor con nuestra vida.

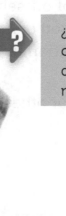

? ¿Cómo puedes compartir con los demás la feliz noticia del nacimiento del Salvador?

We Celebrate . . .
Christmas

Before Jesus' birth, the Jewish people eagerly waited for God to send them the messiah, the one who would save them from all darkness of despair. Jesus is the Messiah, sent by God to save the world.

The Gospel tells us that the glory of the Lord shone in the dark night over the place where the shepherds were watching their sheep. These shepherds were afraid, but an angel brought good news, *"[T]oday in the city of David a savior has been born for you who is Messiah and Lord"* (Luke 2:11).

As announced by the angel, Jesus, the Incarnate Son of God, was born in Bethlehem, the city of David. Centuries before, David, Israel's greatest king, also had been born in this town. The angel made this announcement to shepherds, lowly workers who tended sheep in the night. This shows that Jesus is the Messiah and Lord of all.

Today, we continue to celebrate joyfully the birth of Jesus Christ, Savior of the world. We glorify and praise God for this joyous occasion. This is how we celebrate the season of Christmas—by going out glorifying the Lord with our lives.

 How can you share with others the joyful news of the birth of the Savior?

La Cuaresma

La primavera es una época de renacimiento y renovación. Durante la primavera, las hojas empiezan a brotar y las flores se abren. Gradualmente, los signos del invierno desaparecen a medida que la nueva vida surge. El hielo y la nieve se van derritiendo y proveen agua fresca que inunda arroyos y ríos. Los bosques se llenan de imágenes y sonidos de nueva vida. La naturaleza inicia su largo regreso de la muerte del invierno a la nueva vida de la primavera.

El tiempo de Cuaresma es la primavera sagrada de la Iglesia. Este es el tiempo del renacimiento y la renovación espirituales. La Cuaresma es el tiempo en el que quienes desean unirse a la Iglesia en el Bautismo hacen su preparación final para recibir la nueva vida en Cristo. Los ya bautizados renuevan su vida cristiana durante la Cuaresma a través del arrepentimiento.

La Cuaresma empieza el Miércoles de Ceniza, cuando volvemos a reconocer nuestra necesidad del amor salvífico de Dios. El Miércoles de Ceniza, nos hacen una cruz con cenizas en la frente, lo que significa que estamos llamados a alejarnos del pecado y a ser fieles al Evangelio.

Durante la Cuaresma, la Iglesia nos llama a participar más plenamente en el relato de la Salvación a medida que nos preparamos para celebrar la Resurrección. Es un período para que fortalezcamos nuestra decisión de ser fieles a Dios, a sus Mandamientos y a las enseñanzas de la Iglesia. Podemos practicar las disciplinas de la limosna, el ayuno y la oración que enseña la Iglesia. Podemos aumentar nuestros esfuerzos para hacer más visible nuestro amor por Dios, por los demás y por nosotros mismos.

? ¿Cómo puedes renovar tu fe en Jesucristo durante la Cuaresma?

Lent

Spring is a time of rebirth and renewal. During springtime, flowers begin to bloom and leaves begin to sprout. Signs of winter gradually fade away as new life springs forth. Ice and snow begin to melt, providing new waters that fill streams and rivers. Sights and sounds of new life fill forests. Nature begins its long return from the dead of winter to the new life of Spring.

The season of Lent is the Church's sacred springtime. This is a season of spiritual rebirth and renewal. Lent is the time when people desiring to join the Church in Baptism make their final preparation to receive new life in Christ. Those already baptized renew their Christian life during Lent through repentance.

Lent begins on Ash Wednesday, when we recognize again our need for God's saving love. On Ash Wednesday, a cross is traced on our foreheads with ashes, signifying that we are called to turn away from sin and be faithful to the Gospel.

During Lent the Church calls us to enter more fully into the story of Salvation as we prepare to celebrate the Resurrection. It is a time for us to strengthen our decision to be faithful to God, his Commandments, and the teachings of the Church. We can practice the Church's disciplines of almsgiving, fasting, and prayer. We can increase our efforts to make our love for God, others, and ourselves more visible.

 How can you renew your faith in Jesus Christ during Lent?

Celebramos...
La Pascua

Para los cristianos, el tiempo más importante es la Pascua. Muchas familias decoran su hogar con canastos de flores, especialmente azucenas, como signos (o recordatorios) de nueva vida. Los cristianos del mundo celebran la Pascua de muchas maneras para honrar la Resurrección del Señor como el acontecimiento más importante del año.

La Iglesia nos invita a celebrar con alegría los siete domingos de la estación pascual. En la Misa de la Vigilia Pascual, el recién encendido cirio pascual se alza y brilla en la oscuridad. Nos recuerda que el Señor ha resucitado y que es la Luz del Mundo. La Iglesia celebra cincuenta días recordando la nueva vida que Cristo ha ganado para nosotros.

Durante el tiempo de la Pascua, la Iglesia canta y proclama en voz alta para que todos oigan: "¡Aleluya, aleluya, aleluya!". Quiere decir: "¡Alaben al Señor!". Se nos invita a colmar nuestro hogar y nuestra vida de signos de alabanza, de alegría y de nueva vida. La Pascua trata verdaderamente acerca de lo que el Señor ha hecho, para que podamos alegrarnos y estar felices.

¿Qué signos de nueva vida te recuerdan que debes alegrarte de la Resurrección del Señor?

We Celebrate . . .
Easter

Easter is the most important season for Christians. Many families decorate their homes with baskets of flowers, particularly lilies, as signs (or reminders) of new life. Christians around the world celebrate Easter in a variety of ways to honor the Lord's Resurrection as the most important event of the year.

The Church invites us to celebrate joyfully the seven Sundays of the Easter season. At the Easter Vigil Mass, the newly lighted Easter candle stands tall and shines in the darkness. This reminds us that the Lord has risen and that he is the Light of the world. The Church celebrates for fifty days, recalling the new life Christ has won for us.

Throughout the Easter season the Church sings and proclaims aloud for all to hear, "Alleluia, Alleluia, Alleluia!" This means "Praise the Lord!" We are invited to fill our homes and lives with signs of praise, joy, and new life. Easter is truly about what the Lord has done so we can rejoice and be glad.

 Which signs of new life remind you to rejoice in the Lord's Resurrection?

Celebramos...

La nueva vida en Cristo

Cuando te has iniciado plenamente en la Iglesia Católica, eres un miembro nuevo y joven. La Iglesia se refiere a ti como *neófito* por la reciente maravilla de haber celebrado los Sacramentos de la Iniciación Cristiana.

Las cuatro páginas siguientes son una oportunidad para que reflexiones y escribas sobre esta asombrosa etapa nueva de tu vida. Cada página contiene una reflexión para tu diario y una pregunta que te ayudará a explorar el misterio de lo que experimentaste en la celebración de los Sacramentos de la Iniciación Cristiana.

Piensa en las acciones rituales, los símbolos y las palabras que experimentaste. Escribe acerca de cómo siguen estos signos y símbolos llamándote a vivir como discípulo de Jesús.

Entrada de diario

A través de las aguas del Bautismo, moriste al pecado y resucitaste a la nueva vida. Recibiste la gracia, el don de la presencia de Dios en tu vida. ¿Cómo te modificó el hecho de haber sido lavado con agua tres veces?

_____

_____

_____

_____

We Celebrate . . .
New Life in Christ

Having been fully initiated into the Catholic Church, you are a new and young member. The Church refers to you as a *neophyte* because of the amazing newness of celebrating the Sacraments of Christian Initiation.

The following four pages are an opportunity for you to reflect and write about this amazing new time in your life. Each page includes a journal reflection and question to help you explore the mystery of what you experienced in the celebration of the Sacraments of Christian Initiation.

Think about the ritual actions, symbols, and words that you experienced. Write about how these signs and symbols continue to call you to live as a disciple of Jesus.

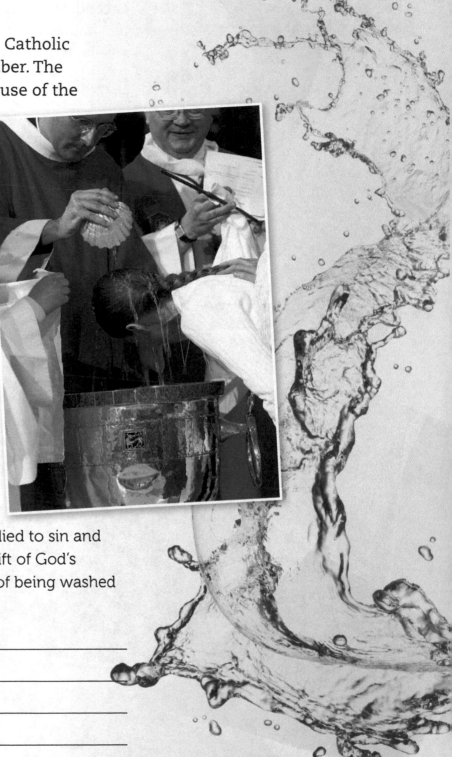

Journal Entry

Through the waters of Baptism, you died to sin and rose to new life. You received grace, the gift of God's presence in your life. How did the action of being washed with water three times change you?

_____

_____

_____

_____

La luz de la fe

Después de bautizarte, te pusieron vestiduras blancas. Como última acción del Bautismo, recibiste una vela encendida con el cirio pascual. Tu vela encendida es para ti un símbolo que te recuerda que Dios te llama a mantener viva la luz de la fe en tu corazón.

Entrada de diario

¿Cómo puedes mantener ardiendo la luz de Cristo en tu vida al comenzar la siguiente parte de tu viaje de fe?

_____

_____

_____

_____

The Light of Faith

After you were baptized, you were clothed in white garments. As the last action of Baptism, you received a candle lighted from the Paschal candle. Your lighted candle is a symbol for you, reminding you that God calls you to keep the light of faith alive in your heart.

Journal Entry

How can you keep the light of Christ burning brightly in your life as you begin the next part of your faith journey?

_____

_____

_____

_____

Elegido de Cristo

Hace mucho tiempo, se ungía a los reyes con aceite como signo de que se los apartaba o se los elegía exclusivamente para guiar a su pueblo. Uno de los nombres que le damos a Jesús es el Ungido. Dios envió a Jesús para que nos salvara del pecado y la muerte.

En la Confirmación, el obispo o el sacerdote impone las manos sobre ti y le pide al Padre que te envíe al Espíritu Santo para que te dé siete dones: sabiduría, entendimiento, consejo, fortaleza, ciencia, piedad y temor (veneración) de Dios. Luego te ungió con el Santo Crisma para marcarte con el Don del Espíritu Santo de manera indeleble como perteneciente a Cristo, nuestro Rey.

Entrada de diario

Piensa en cómo te sentiste cuando te marcaron con el Santo Crisma. ¿Cómo puedes mostrar día a día a los demás que perteneces a Cristo?

_____

_____

_____

_____

Chosen for Christ

Long ago kings were anointed with oil as a sign that they were set apart or uniquely chosen to lead their people. One of the names we give to Jesus is the Anointed One. Jesus was sent by God to save us from sin and death.

In Confirmation, the bishop or priest laid hands on you, asking the Father to send the Holy Spirit upon you to give you seven gifts: wisdom, understanding, counsel, fortitude, knowledge, piety, and fear (awe) of the Lord. He then anointed you with Sacred Chrism to seal the Gift of the Holy Spirit, leaving you marked permanently as belonging to Christ, our King.

Journal Entry

Think about how you felt when you were signed with Sacred Chrism. How can you show others that day by day you belong to Christ?

_____

_____

_____

_____

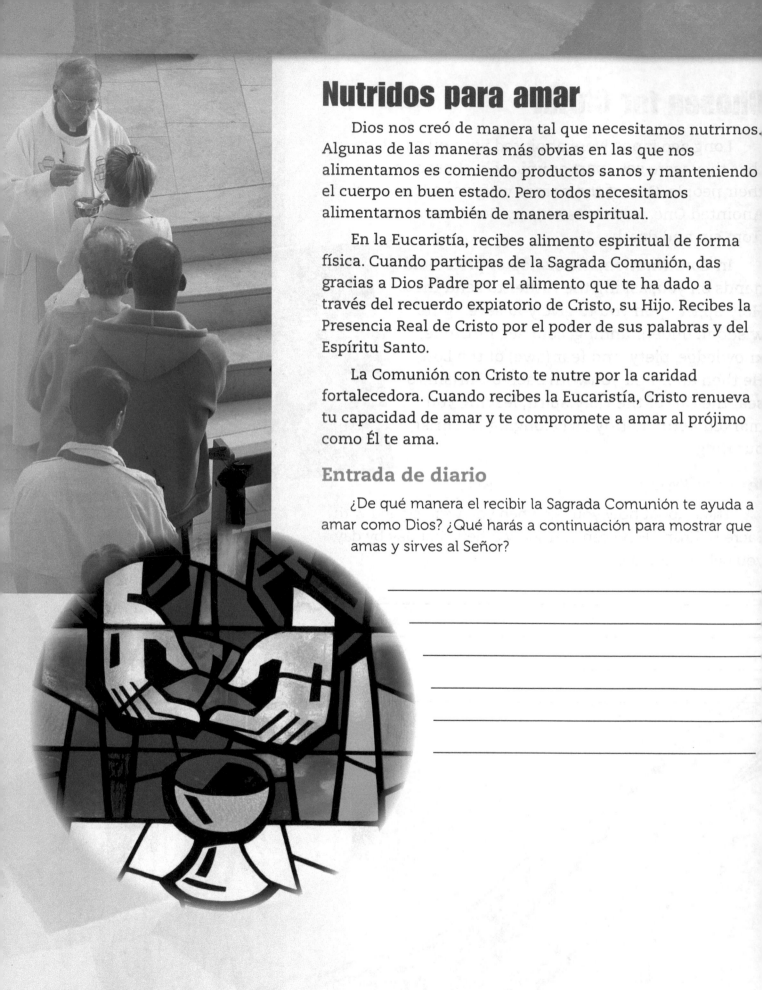

Nutridos para amar

Dios nos creó de manera tal que necesitamos nutrirnos. Algunas de las maneras más obvias en las que nos alimentamos es comiendo productos sanos y manteniendo el cuerpo en buen estado. Pero todos necesitamos alimentarnos también de manera espiritual.

En la Eucaristía, recibes alimento espiritual de forma física. Cuando participas de la Sagrada Comunión, das gracias a Dios Padre por el alimento que te ha dado a través del recuerdo expiatorio de Cristo, su Hijo. Recibes la Presencia Real de Cristo por el poder de sus palabras y del Espíritu Santo.

La Comunión con Cristo te nutre por la caridad fortalecedora. Cuando recibes la Eucaristía, Cristo renueva tu capacidad de amar y te compromete a amar al prójimo como Él te ama.

Entrada de diario

¿De qué manera el recibir la Sagrada Comunión te ayuda a amar como Dios? ¿Qué harás a continuación para mostrar que amas y sirves al Señor?

_____

_____

_____

_____

_____

_____

Nourished to Love

God created us in such a way that we need to nourish ourselves. Some of the most obvious ways in which we nourish ourselves are by eating healthful foods and keeping our bodies fit. All of us need to nourish ourselves in spiritual ways too.

In the Eucharist, you receive spiritual nourishment in a physical way. When you partake in Holy Communion, you give thanks to God the Father for the nourishment he has given to you through the sacrificial memorial of Christ, his Son. You receive the Real Presence of Christ by the power of his words and the Holy Spirit.

Communion with Christ nourishes you by strengthening charity. By receiving the Eucharist, Christ renews your capacity to love, and commits you to love one another as he loves you.

Journal Entry

How does receiving Holy Communion help you to love like God? What will you do next to show that you love and serve the Lord?

_____

_____

_____

_____

_____

_____

Oraciones y prácticas católicas

Señal de la cruz

En el nombre del Padre
y del Hijo
y del Espíritu Santo.
Amén.

Padre Nuestro

Padre nuestro, que estás en el cielo,
santificado sea tu Nombre;
venga a nosotros tu reino;
hágase tu voluntad
en la tierra como en el cielo.
Danos hoy nuestro pan de cada día;
perdona nuestras ofensas,
como también nosotros perdonamos
 a los que nos ofenden;
no nos dejes caer en la tentación,
y líbranos del mal.
Amén.

Gloria al Padre (Doxología)

Gloria al Padre
y al Hijo
y al Espíritu Santo.
Como era en el principio,
ahora y siempre,
por los siglos de los siglos. Amén.

Ave María

Dios te salve, María, llena eres
 de gracia;
el Señor es contigo.
Bendita Tú eres entre todas
 las mujeres,
y bendito es el fruto de tu
 vientre, Jesús.
Santa María, Madre de Dios,
ruega por nosotros, pecadores,
ahora y en la hora de nuestra muerte. Amén.

Signum Crucis

In nómine Patris,
et Fílii,
et Spíritus Sancti. Amen.

Pater Noster

Pater noster, qui es in cælis:
sanctificétur nomen tuum;
advéniat regnum tuum;
fiat volúntas tua, sicut
 in cælo, et in terra.
Panem nostrum cotidiánum
 da nobis hódie;
et dimíttes nobis débita nostra,
sicut et nos dimíttimus debitóribus
 nostris;
et ne nos indúcas in tentatiónem;
sed líbera nos a malo. Amen.

Gloria Patri

Glória Patri
et Fílio
et Spirítui Sancto.
Sicut erat in princípio,
et nunc et semper
et in sæcula sæculórum. Amen.

Ave, Maria

Ave, María, grátia plena,
Dóminus tecum.
Benedícta tu in muliéribus,
et benedíctus fructus ventris tui, Iesus.
Sancta María, Mater Dei,
ora pro nobis peccatóribus,
nunc et in hora mortis nostræ.
Amen.

> **ATENCIÓN:** Las oraciones de esta columna están en latín, que es el idioma antiguo y oficial de la Iglesia.

Catholic Prayers and Practices

Sign of the Cross
In the name of the Father,
and of the Son,
and of the Holy Spirit. Amen.

Our Father
Our Father, who art in heaven,
hallowed be thy name;
thy kingdom come,
thy will be done
on earth as it is in heaven.
Give us this day our daily bread,
and forgive us our trespasses,
as we forgive those who trespass
    against us;
and lead us not into temptation,
    but deliver us from evil.
Amen.

Glory Be (Doxology)
Glory be to the Father
and to the Son
and to the Holy Spirit,
as it was in the beginning
is now, and ever shall be
world without end. Amen.

The Hail Mary
Hail, Mary, full of grace,
the Lord is with thee.
Blessed art thou among women
and blessed is the fruit
    of thy womb, Jesus.
Holy Mary, Mother of God,
pray for us sinners,
now and at the hour of our death.
Amen.

Signum Crucis
In nómine Patris,
et Fílii,
et Spíritus Sancti. Amen.

Pater Noster
Pater noster, qui es in cælis:
sanctificétur nomen tuum;
advéniat regnum tuum;
fiat volúntas tua, sicut
    in cælo, et in terra.
Panem nostrum cotidiánum
    da nobis hódie;
et dimíttes nobis débita nostra,
sicut et nos dimíttimus debitóribus
    nostris;
et ne nos indúcas in tentatiónem;
sed líbera nos a malo. Amen.

Gloria Patri
Glória Patri
et Fílio
et Spirítui Sancto.
Sicut erat in princípio,
et nunc et semper
et in sæcula sæculórum. Amen.

Ave, Maria
Ave, María, grátia plena,
Dóminus tecum.
Benedícta tu in muliéribus,
et benedíctus fructus ventris tui, Iesus.
Sancta María, Mater Dei,
ora pro nobis peccatóribus,
nunc et in hora mortis nostræ.
Amen.

NOTE: The prayers in this column are written in Latin. It is the ancient and official language of the Church.

El Credo de los Apóstoles

(tomado del Misal Romano)

Creo en Dios, Padre Todopoderoso,
Creador del cielo y de la tierra.
  Creo en Jesucristo, su único Hijo,
  Nuestro Señor,

(En las palabras que siguen, hasta
María Virgen, todos se inclinan.)

  que fue concebido por obra y gracia
    del Espíritu Santo,
  nació de santa María Virgen,
  padeció bajo el poder de Poncio
    Pilato,
  fue crucificado, muerto y sepultado,
    descendió a los infiernos,
  al tercer día resucitó de entre los
    muertos,
  subió a los cielos
  y está sentado a la derecha de
    Dios, Padre todopoderoso.
  Desde allí ha de venir a juzgar a
    vivos y muertos.

Creo en el Espíritu Santo,
  la santa Iglesia católica,
  la comunión de los santos,
  el perdón de los pecados,
  la resurrección de la carne
  y la vida eterna.
Amén.

El Credo de Nicea

(tomado del Misal Romano)

Creo en un solo Dios,
  Padre Todopoderoso, Creador
    del cielo y de la tierra, de todo lo
    visible y lo invisible.

Creo en un solo Señor, Jesucristo, Hijo
  único de Dios,
  nacido del Padre antes de todos los
    siglos:
  Dios de Dios, Luz de Luz,
  Dios verdadero de Dios verdadero,

engendrado, no creado,
  de la misma naturaleza del Padre,
  por quien todo fue hecho;
  que por nosotros, los hombres,
  y por nuestra salvación bajó del cielo,

(En las palabras que siguen, hasta
se hizo hombre, todos se inclinan.)

  y por obra del Espíritu Santo
    se encarnó de María, la Virgen, y
      se hizo hombre;
  y por nuestra causa fue crucificado
    en tiempos de Poncio Pilato,
  padeció y fue sepultado,
  y resucitó al tercer día, según las
    Escrituras,
  y subió al cielo, y está sentado
    a la derecha del Padre;
  y de nuevo vendrá con gloria
  para juzgar a vivos y muertos,
  y su reino no tendrá fin.

Creo en el Espíritu Santo, Señor y
  dador de vida,
  que procede del Padre y del Hijo,
  que con el Padre y el Hijo
  recibe una misma adoración y
    gloria,
  y que habló por los profetas.

Creo en la Iglesia,
  que es una, santa, católica y
    apostólica.
Confieso que hay un solo bautismo
  para el perdón de los pecados.
Espero la resurrección de los muertos
  y la vida del mundo futuro.
Amén.

Apostles' Creed

(from the Roman Missal)

I believe in God,
the Father almighty,
Creator of heaven and earth,
and in Jesus Christ, his only Son, our Lord,

(At the words that follow, up to and
including the Virgin Mary, all bow.)

who was conceived by the Holy Spirit,
born of the Virgin Mary,
suffered under Pontius Pilate,
was crucified, died and was buried;
he descended into hell;
on the third day he rose again
from the dead;
he ascended into heaven,
and is seated at the right hand of God
the Father almighty;
from there he will come to judge
the living and the dead.

I believe in the Holy Spirit,
the holy catholic Church,
the communion of saints,
the forgiveness of sins,
the resurrection of the body,
and life everlasting. Amen.

Nicene Creed

(from the Roman Missal)

I believe in one God,
the Father almighty,
maker of heaven and earth,
of all things visible and invisible.

I believe in one Lord Jesus Christ,
the Only Begotten Son of God,
born of the Father before all ages.
God from God, Light from Light,
true God from true God,
begotten, not made, consubstantial
with the Father;
through him all things were made.
For us men and for our salvation
he came down from heaven,

(At the words that follow up to and
including and became man, all bow.)

and by the Holy Spirit was incarnate
of the Virgin Mary,
and became man.

For our sake he was crucified under
Pontius Pilate,
he suffered death and was buried,
and rose again on the third day
in accordance with the Scriptures.
He ascended into heaven
and is seated at the right hand
of the Father.
He will come again in glory
to judge the living and the dead
and his kingdom will have no end.

I believe in the Holy Spirit, the Lord,
the giver of life,
who proceeds from the Father and the Son,
who with the Father and the Son is
adored and glorified,
who has spoken through the prophets.

I believe in one, holy, catholic and
apostolic Church.
I confess one Baptism for the
forgiveness of sins
and I look forward to the
resurrection of the dead
and the life of the world to come. Amen.

Oración de la mañana

Querido Dios,
al comenzar este día,
guárdame en tu amor y cuidado.
Ayúdame hoy a vivir como hijo tuyo.
Bendíceme a mí, a mi familia y mis
   amigos en todo lo que hagamos.
Mantennos junto a ti. Amén.

Oración antes de comer

Bendícenos, Señor, junto con estos
   dones que vamos a recibir de tu
   generosidad, por Cristo Nuestro Señor.
Amén.

Acción de gracias después de comer

Te damos gracias por todos tus dones,
   Dios todopoderoso, Tú que vives
   y reinas ahora y siempre.
Amén.

Oración vespertina

Querido Dios,
te doy gracias por el día de hoy.
Mantenme a salvo durante la noche.
Te agradezco por todo lo bueno que
   hice hoy.
Y te pido perdón por hacer algo que
   está mal.
Bendice a mi familia y a mis amigos.
Amén.

Oración por las vocaciones

Dios, sé que me llamarás
para darme una tarea especial
   en mi vida.
Ayúdame a seguir a Jesús cada día
y a estar liso para responder
   a tu llamado.
Amén.

Invocación al Espíritu Santo

Ven, Espíritu Santo,
llena los corazones de tus fieles,
y enciende en ellos el fuego de tu amor.
Envía tu Espíritu Creador
y renueva la faz de la tierra.
Amén.

Oración del penitente

Dios mío, me arrepiento de todo corazón de
todo lo malo que hecho y de todo lo bueno
que he dejado de hacer, porque pecando te he
ofendido a ti, que eres el sumo bien y digno de
ser amado sobre todas las cosas.
Propongo firmemente, con tu gracia, cumplir
la penitencia, no volver a pecar y evitar las
ocasiones de pecado.
Perdóname, Señor, por los méritos de la pasión
de nuestro salvador Jesucristo.
Amén.

Morning Prayer

Dear God,
as I begin this day,
keep me in your love and care.
Help me to live as your child today.
Bless me, my family, and my friends
in all we do.
Keep us all close to you. Amen.

Grace Before Meals

Bless us, O Lord,
and these thy gifts,
which we are about to receive
from thy bounty,
through Christ our Lord.
Amen.

Grace After Meals

We give thee thanks
for all thy benefits, almighty God,
who lives and reigns forever.
Amen.

Evening Prayer

Dear God,
I thank you for today.
Keep me safe throughout the night.
Thank you for all the good I did today.
I am sorry for what I have chosen
to do wrong.
Bless my family and friends. Amen.

A Vocation Prayer

God, I know you will call me
for special work in my life.
Help me follow Jesus each day
and be ready to answer your call. Amen.

Prayer to the Holy Spirit

Come, Holy Spirit, fill the hearts
of your faithful.
And kindle in them the
fire of your love.
Send forth your Spirit and
they shall be created.
And you will renew the
face of the earth. Amen.

Act of Contrition

My God,
I am sorry for my sins
with all my heart.
In choosing to do wrong
and failing to do good,
I have sinned against you,
whom I should love above all things.
I firmly intend, with your help,
to do penance,
to sin no more,
and to avoid whatever leads me to sin.
Our Savior Jesus Christ
suffered and died for us.
In his name, my God, have mercy. Amen.

Las Bienaventuranzas

"Felices los que tienen el espíritu del pobre,
porque de ellos es el Reino de los Cielos.
Felices los que lloran,
porque recibirán consuelo.
Felices los pacientes,
porque recibirán la tierra en herencia.
Felices los que tienen hambre y sed de justicia,
porque serán saciados.
Felices los compasivos,
porque obtendrán misericordia.
Felices los de corazón limpio,
porque verán a Dios.
Felices los que trabajan por la paz,
porque serán reconocidos como hijos de
Dios.
Felices los que son perseguidos por causa
del bien,
porque de ellos es el Reino de los
Cielos".

MATEO 5:3–10

Ángelus

Líder:	El ángel del Señor anunció a María.
Respuesta:	Y concibió por obra y gracia del Espíritu Santo.
Todos:	**Dios te salve, María...**

Líder:	He aquí la esclava del Señor.
Respuesta:	Hágase en mí según tu palabra.
Todos:	**Dios te salve, María...**

Líder:	Y el Verbo de Dios se hizo carne.
Respuesta:	Y habitó entre nosotros.
Todos:	**Dios te salve, María...**

Líder:	Ruega por nosotros, Santa Madre de Dios,
Respuesta:	para que seamos dignos de alcanzar las promesas de Jesucristo.
Líder:	Oremos. Infunde, Señor, tu gracia en nuestras almas, para que, los que hemos conocido, por el anuncio del Ángel, la Encarnación de tu Hijo Jesucristo, lleguemos por los Méritos de su Pasión y su Cruz, a la gloria de la Resurrección. Por Jesucristo Nuestro Señor. Amén.
Todos:	**Amén.**

The Beatitudes

"Blessed are the poor in spirit,
for theirs is the kingdom of heaven.
Blessed are they who mourn,
for they will be comforted.
Blessed are the meek,
for they will inherit the land.
Blessed are they who hunger
and thirst for righteousness,
for they will be satisfied.
Blessed are the merciful,
for they will be shown mercy.
Blessed are the clean of heart,
for they will see God.
Blessed are the peacemakers,
for they will be called children
of God.
Blessed are they who are persecuted for
the sake of righteousness,
for theirs is the kingdom of heaven."

MATTHEW 5:3–10

The Angelus

Leader:	The Angel of the Lord declared unto Mary,
Response:	And she conceived of the Holy Spirit.
All:	**Hail, Mary . . .**

Leader:	Behold the handmaid of the Lord,
Response:	Be it done unto me according to your Word.
All:	**Hail, Mary . . .**

Leader:	And the Word was made flesh
Response:	And dwelt among us.
All:	**Hail, Mary . . .**

Leader:	Pray for us, holy Mother of God,
Response:	That we may be made worthy of the promises of Christ.
Leader:	Let us pray. Pour forth, we beseech you, O Lord, your grace into our hearts: that we, to whom the Incarnation of Christ your Son was made known by the message of an Angel, may by his Passion and Cross be brought to the glory of his Resurrection. Through the same Christ our Lord. Amen.
All:	**Amen.**

Los Diez Mandamientos

1. Yo soy el Señor, tu Dios. No tendrás otros dioses fuera de mí.
2. No tomes en vano el nombre del Señor, tu Dios.
3. Acuérdate del Día del Señor, para santificarlo.
4. Respeta a tu padre y a tu madre.
5. No mates.
6. No cometas adulterio.
7. No robes.
8. No digas mentiras.
9. No codicies la mujer de tu prójimo.
10. No codicies nada que sea de tu prójimo.

BASADO EN ÉXODO 20:2–3, 7–17

Preceptos de la Iglesia

1. Oír misa entera los domingos y demás fiestas de precepto y no realizar trabajos serviles.
2. Confesar los pecados mortales al menos una vez al año.
3. Recibir el sacramento de la Eucaristía al menos por Pascua.
4. Abstenerse y ayunar en los días establecidos por la Iglesia.
5. Ayudar a la Iglesia en sus necesidades, cada uno según su posibilidad.

El Gran Mandamiento

"Amarás al Señor tu Dios con todo tu corazón, con toda tu alma y con toda tu mente. Amarás a tu prójimo como a ti mismo".

MATEO 22:37, 39

La Ley del Amor

"Este es mi mandamiento: que se amen unos a otros como yo los he amado".

JUAN 15:12

Obras de Misericordia Corporales

Dar de comer al hambriento.
Dar de beber al sediento.
Vestir al desnudo.
Visitar a los presos.
Dar techo a quien no lo tiene.
Visitar a los enfermos.
Enterrar a los muertos.

Obras de Misericordia Espirituales

Corregir al que yerra.
Enseñar al que no sabe.
Dar buen consejo al que lo necesita.
Consolar al triste.
Sufrir con paciencia los defectos de los demás.
Perdonar las injurias.
Rogar a Dios por vivos y difuntos.

The Ten Commandments

1. I am the Lord your God: you shall not have strange gods before me.

2. You shall not take the name of the Lord your God in vain.

3. Remember to keep holy the Lord's Day.

4. Honor your father and your mother.

5. You shall not kill.

6. You shall not commit adultery.

7. You shall not steal.

8. You shall not lie.

9. You shall not covet your neighbor's wife.

10. You shall not covet your neighbor's goods.

BASED ON EXODUS 20:2–3, 7–17

Precepts of the Church

1. Participate in Mass on Sundays and holy days of obligation, and rest from unnecessary work.

2. Confess sins at least once a year.

3. Receive Holy Communion at least during the Easter season.

4. Observe the prescribed days of fasting and abstinence.

5. Provide for the material needs of the Church, according to one's abilities.

The Great Commandment

"You shall love the Lord, your God, with all your heart, with all your soul, and with all your mind. . . . You shall love your neighbor as yourself."

MATTHEW 22:37, 39

The Law of Love

"This is my commandment: love one another as I love you."

JOHN 15:12

Corporal Works of Mercy

Feed people who are hungry.
Give drink to people who are thirsty.
Clothe people who need clothes.
Visit people who are in prison.
Shelter people who are homeless.
Visit people who are sick.
Bury people who have died.

Spiritual Works of Mercy

Help people who sin.
Teach people who are ignorant.
Give advice to people who have doubts.
Comfort people who suffer.
Be patient with other people.
Forgive people who hurt you.
Pray for people who are alive and for those who have died.

Misterios gozosos

1. La Anunciación
2. La Visitación
3. La Natividad
4. La Presentación
5. El hallazgo de Jesús en el Templo

Misterios luminosos

1. El Bautismo de Jesús en el río Jordán
2. El milagro de Jesús en la boda de Caná
3. La proclamación del Reino de Dios
4. La transfiguración
5. La institución de la Eucaristía

Misterios dolorosos

1. La agonía en el Huerto
2. La flagelación en la columna
3. La coronación de espinas
4. La cruz a cuestas
5. La Crucifixión

Misterios gloriosos

1. La Resurrección
2. La Ascensión
3. La venida del Espíritu Santo
4. La Asunción de María
5. La Coronación de María

Salve Regina

Dios te salve, Reina y Madre
   de misericordia,
vida, dulzura y esperanza nuestra;
Dios te salve.
A ti llamamos los desterrados hijos
   de Eva;
a ti suspiramos, gimiendo y llorando
en este valle de lágrimas.
Ea, pues, Señora, abogada nuestra,
vuelve a nosotros esos tus
   ojos misericordiosos;
y después de este destierro,
   muéstranos a Jesús,
fruto bendito de tu vientre.
¡Oh, clementísima, oh piadosa, oh dulce
   Virgen María!

El Rosario

Los católicos rezan el Rosario para honrar a María y recordar los sucesos importantes en la vida de Jesús y María. Hay veinte misterios del Rosario. Sigue los pasos del 1 al 5.

4. Repite el paso n.º 3 para cada uno de los siguientes cuatro misterios.

5. Reza el *Salve Regina*. Haz la Señal de la Cruz.

3. Piensa en el primer misterio. Reza un Padre Nuestro, diez Ave Marías y el Gloria al Padre.

2. Reza un Padre Nuestro, tres Ave Marías y el Gloria al Padre.

1. Haz la Señal de la Cruz y reza el Credo de los Apóstoles.

The Rosary

Catholics pray the Rosary to honor Mary and remember the important events in the life of Jesus and Mary. There are twenty mysteries of the Rosary. Follow the steps from 1 to 5.

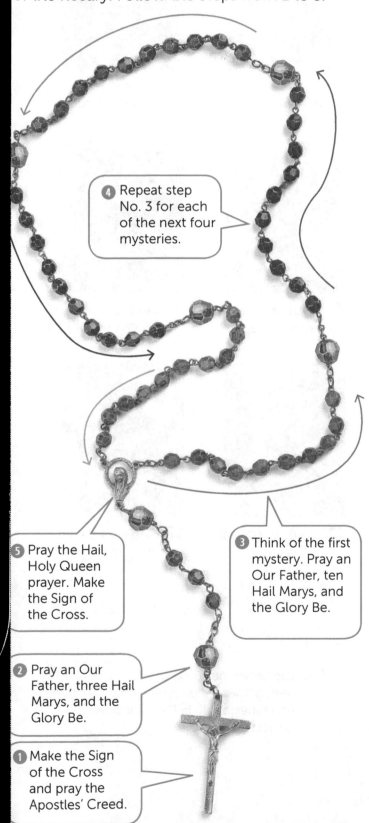

④ Repeat step No. 3 for each of the next four mysteries.

⑤ Pray the Hail, Holy Queen prayer. Make the Sign of the Cross.

③ Think of the first mystery. Pray an Our Father, ten Hail Marys, and the Glory Be.

② Pray an Our Father, three Hail Marys, and the Glory Be.

① Make the Sign of the Cross and pray the Apostles' Creed.

Joyful Mysteries
❶ The Annunciation
❷ The Visitation
❸ The Nativity
❹ The Presentation in the Temple
❺ The Finding of the Child Jesus After Three Days in the Temple

Luminous Mysteries
❶ The Baptism at the Jordan River
❷ The Miracle at Cana
❸ The Proclamation of the Kingdom and the Call to Conversion
❹ The Transfiguration
❺ The Institution of the Eucharist

Sorrowful Mysteries
❶ The Agony in the Garden
❷ The Scourging at the Pillar
❸ The Crowning with Thorns
❹ The Carrying of the Cross
❺ The Crucifixion and Death

Glorious Mysteries
❶ The Resurrection
❷ The Ascension
❸ The Descent of the Holy Spirit at Pentecost
❹ The Assumption of Mary
❺ The Crowning of the Blessed Virgin as Queen of Heaven and Earth

Hail, Holy Queen

Hail, holy Queen, Mother of mercy:
Hail, our life, our sweetness
     and our hope.
To you do we cry, poor banished
     children of Eve.
To you do we send up our sighs,
mourning and weeping
     in this valley of tears.
Turn then, most gracious advocate,
your eyes of mercy toward us;
and after this our exile
show unto us the blessed fruit
     of your womb, Jesus.
O clement, O loving, O sweet
     Virgin Mary.

281

Estaciones de la Cruz

1. Jesús es condenado a muerte.

2. Jesús acepta la cruz.

3. Jesús cae por primera vez.

4. Jesús se encuentra con su Madre.

5. Simón el Cirineo ayuda a Jesús a llevar la cruz.

6. Verónica limpia el rostro de Jesús.

7. Jesús cae por segunda vez.

8. Jesús se encuentra con las mujeres de Jerusalén.

9. Jesús cae por tercera vez.

10. Jesús es despojado de sus vestiduras.

11. Jesús es clavado en la cruz.

12. Jesús muere en la cruz.

13. Jesús es bajado de la cruz.

14. Jesús en enterrado en el sepulcro.

15. Las Estaciones de la Cruz generalmente concluyen con una reflexión de la Resurrección de Jesús.

Stations of the Cross

1. Jesus is condemned to death.

2. Jesus accepts the cross.

3. Jesus falls the first time.

4. Jesus meets his mother.

5. Simon helps Jesus carry the cross.

6. Veronica wipes the face of Jesus.

7. Jesus falls the second time.

8. Jesus meets the women of Jerusalem.

9. Jesus falls the third time.

10. Jesus is stripped of his clothes.

11. Jesus is nailed to the cross.

12. Jesus dies on the cross.

13. Jesus is taken down from the cross.

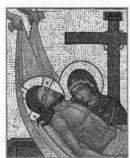

14. Jesus is buried in the tomb.

15. The Stations are usually concluded with a reflection on the Resurrection of Jesus.

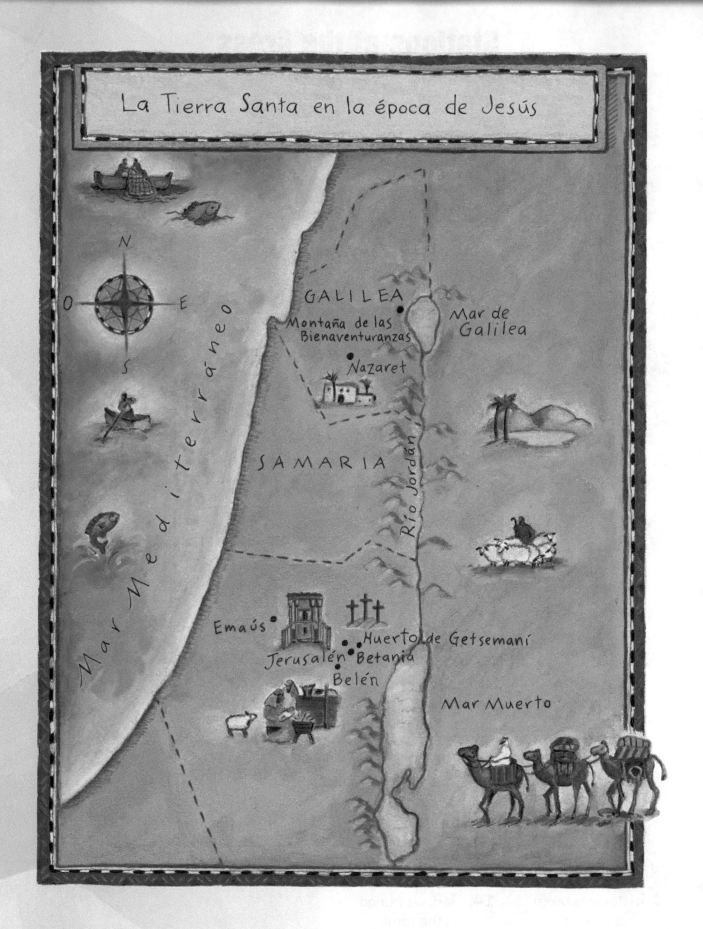

La Tierra Santa en la época de Jesús

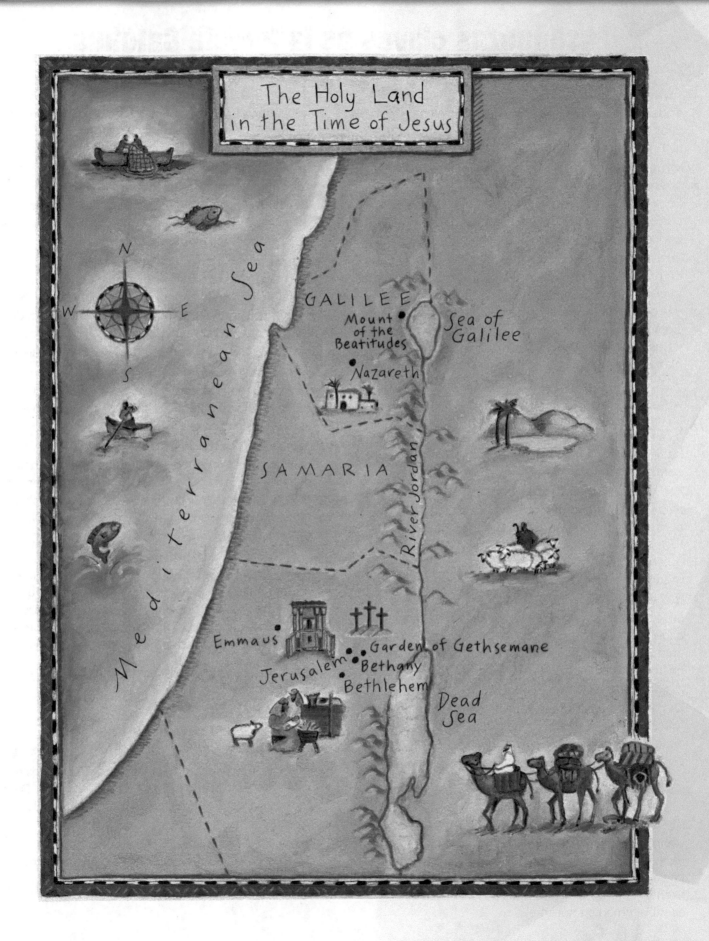

Enseñanzas claves de la Iglesia Católica

REVELACIÓN DIVINA

¿Quién soy?

Todas las personas humanas han sido creadas por Dios para que vivan en amistad con Él tanto aquí en la Tierra como en el Cielo para siempre.

¿Cómo sabemos esto con respecto a nosotros mismos?

Lo sabemos porque todas las personas desean conocer y amar a Dios y desean que Dios las conozca y las ame.

¿Cómo nos lo dijo Dios?

En primer lugar, Dios nos lo dice por medio de todo lo que Él ha creado. La creación refleja la bondad y la belleza del Creador y nos habla acerca de Dios Creador. En segundo lugar, Dios vino a nosotros y nos habló acerca de sí mismo. Él lo reveló más plenamente al enviar a su Hijo, Jesucristo, que se hizo uno de nosotros y vivió entre nosotros.

¿Qué es la fe?

La fe es un don sobrenatural que viene de Dios, que nos permite conocer a Dios y todo lo que Él ha revelado, y a responder a Dios con todo nuestro corazón y nuestra mente.

¿Qué es un misterio de fe?

La palabra *misterio* describe el hecho de que nunca podremos comprender o captar completamente a Dios y su plan amoroso para nosotros. Sólo sabemos quién es Dios y cuál es su plan para nosotros por medio de la Revelación Divina.

¿Qué es la Revelación Divina?

La Revelación Divina es el don generoso de Dios de darse a conocer y entregarse a nosotros comunicando gradualmente con palabras y hechos su propio misterio y su plan divino para la humanidad.

¿Qué es la Sagrada Tradición?

La palabra *tradición* proviene del latín y significa "transmitir". La Sagrada Tradición es la transmisión de la Revelación Divina por la Iglesia, a través del poder y la guía del Espíritu Santo.

SAGRADA ESCRITURA

¿Qué es la Sagrada Escritura?

Las palabras sagrada escritura vienen de dos términos latinos que significan "escritos santos". La Sagrada Escritura es la colección de todos los escritos que Dios inspiró a los autores para que escribieran en su nombre.

¿Qué es la Biblia?

La palabra *biblia* proviene de un término griego que significa "libro". La Biblia es la colección de los cuarenta y seis libros del Antiguo Testamento y los veintisiete libros del Nuevo Testamento.

¿Qué significa la inspiración bíblica?

La inspiración bíblica es un término que describe al Espíritu Santo que guía a los autores humanos de la Sagrada Escritura para que comuniquen fiel y exactamente la Palabra de Dios.

¿Qué es el Antiguo Testamento?

El Antiguo Testamento es la primera parte principal de la Biblia. Son los cuarenta y seis libros que inspiró el Espíritu Santo, escritos antes del nacimiento de Jesús y que se centran en la Alianza entre Dios y su pueblo, Israel, y la promesa del Mesías o Salvador.

¿Qué es la Alianza?

La Alianza es el acuerdo solemne de fidelidad que hicieron Dios y su pueblo libremente. Se renovó y alcanzó su plenitud en Jesucristo.

¿Qué es el Nuevo Testamento?

El Nuevo Testamento es la segunda parte principal de la Biblia. Son los veintisiete libros inspirados por el Espíritu Santo y escritos en la época apostólica, que se centran en Jesucristo y en su obra salvadora entre nosotros.

¿Qué son los Evangelios?

La palabra *evangelio* proviene del griego y significa "buena nueva". El Evangelio es la Buena Nueva del plan amoroso de Dios de la Salvación, en Jesucristo. Los cuatro Evangelios ocupan un lugar primordial en la Sagrada Escritura porque giran en torno a Jesucristo.

LA SANTÍSIMA TRINIDAD

¿Quién es el Misterio de la Santísima Trinidad?

La Santísima Trinidad es el misterio de Un Dios en Tres Personas Divinas: Dios Padre, Dios Hijo y Dios Espíritu Santo. Es el misterio fundamental de la fe cristiana.

¿Quién es Dios Padre?

Dios Padre es la Primera Persona de la Santísima Trinidad.

Key Teachings of the Catholic Church

DIVINE REVELATION

Who am I?

Every human person has been created by God to live in friendship with him both here on Earth and forever in Heaven.

How do we know this about ourselves?

We know this because every person desires to know and love God and wants God to know and love them.

How did God tell us?

First of all, God tells us this through all he has created. Creation reflects God's goodness and beauty and tells us about him. Second, God came to us and told us about himself. He revealed this most fully by sending his Son, Jesus Christ, who became one of us and lived among us.

What is faith?

Faith is a supernatural gift from God that enables us to know God and all that he has revealed, and to respond to him with our whole heart and mind.

What is a mystery of faith?

The word *mystery* describes the fact that we can never fully comprehend or fully grasp God and his loving plan for us. We only know who God is and his plan for us through Divine Revelation.

What is Divine Revelation?

Divine Revelation is God's free gift of making himself known to us and giving himself to us by gradually communicating in deeds and words his own mystery and his divine plan for humanity.

What is Sacred Tradition?

The word *tradition* comes from a Latin word meaning "to pass on." Sacred Tradition is the passing on of Divine Revelation by the Church through the power and guidance of the Holy Spirit.

SACRED SCRIPTURE

What is Sacred Scripture?

The words *sacred scripture* come from two Latin words meaning "holy writings." Sacred Scripture is the collection of all the writings God has inspired authors to write in his name.

What is the Bible?

The word *bible* comes from a Greek word meaning "book." The Bible is the collection of the forty-six books of the Old Testament and the twenty-seven books of the New Testament.

What is biblical inspiration?

Biblical inspiration is a term that describes the Holy Spirit guiding the human authors of Sacred Scripture so that they faithfully and accurately communicate the Word of God.

What is the Old Testament?

The Old Testament is the first main part of the Bible. It is the forty-six books inspired by the Holy Spirit, written before the birth of Jesus and centered on the Covenant between God and his people, Israel, and the promise of the Messiah or Savior.

What is the Covenant?

The Covenant is the solemn agreement of fidelity that God and his people freely entered into. It was renewed and fulfilled in Jesus Christ.

What is the New Testament?

The New Testament is the second main part of the Bible. It is the twenty-seven books inspired by the Holy Spirit and written in apostolic times that center on Jesus Christ and his saving work among us.

What are the Gospels?

The word *gospel* comes from a Greek word meaning "good news." The Gospel is the Good News of God's loving plan of Salvation, in Jesus Christ. The four Gospels occupy a central place in Sacred Scripture because Jesus Christ is their center.

THE HOLY TRINITY

Who is the Mystery of the Holy Trinity?

The Holy Trinity is the mystery of One God in Three Divine Persons—God the Father, God the Son, God the Holy Spirit. It is the central mystery of the Christian faith.

Who is God the Father?

God the Father is the First Person of the Holy Trinity.

¿Quién es Dios Hijo?

Dios Hijo es Jesucristo, la Segunda Persona de la Santísima Trinidad. Es el único Hijo engendrado del Padre, que se hizo carne y se convirtió en uno de nosotros sin renunciar a su divinidad.

¿Quién es Dios Espíritu Santo?

Dios Espíritu Santo es la Tercera Persona de la Santísima Trinidad, que procede del Padre y del Hijo. Es el Intérprete, o Paráclito, que el Padre nos envió en nombre de Jesús, su Hijo.

OBRA DIVINA DE LA CREACIÓN

¿Qué es la obra divina de la creación?

La creación es la obra de Dios dándole existencia a todas las personas y todas las cosas, visibles e invisibles, del amor y sin ninguna ayuda.

¿Quiénes son los ángeles?

Los ángeles son criaturas espirituales que no tienen un cuerpo como el de los humanos. Los ángeles glorifican a Dios sin cesar y, a veces, sirven a Dios llevando su mensaje a las personas.

¿Quién es la persona humana?

La persona humana es única y es creada a imagen y semejanza de Dios. La dignidad humana se alcanza en la vocación de una vida de felicidad con Dios.

¿Qué es el alma?

El alma es la parte espiritual de una persona. Es inmortal; nunca muere. El alma es el ser más interior y lleva la impronta de la imagen de Dios.

¿Qué es el intelecto?

El intelecto es un poder esencial del alma. Es el poder de conocer a Dios, a nosotros mismos y a los demás; es el poder para entender el orden de las cosas que Dios estableció.

¿Qué es el libre albedrío?

El libre albedrío es una cualidad esencial del alma. Es el poder que Dios da para reconocerlo como parte de nuestra vida y para elegir entre el bien y el mal.

¿Qué es el Pecado Original?

El Pecado Original es el pecado de Adán y Eva, por el cual eligieron el mal por sobre la obediencia a Dios. Como resultado del Pecado Original, entraron en el mundo la muerte, el pecado y el sufrimiento.

JESUCRISTO

¿Qué es la Anunciación?

La Anunciación es el anuncio del ángel Gabriel a María de que Dios la había elegido para ser la madre de Jesús, el Hijo de Dios, por el poder del Espíritu Santo.

¿Qué es la Encarnación?

La palabra *encarnación* proviene de un término latino que significa "hacerse carne". La Encarnación es el acontecimiento por el que el Hijo de Dios se hizo verdaderamente humano mientras seguía siendo verdaderamente Dios.

¿Qué es el Misterio Pascual?

El Misterio Pascual son los acontecimientos salvadores de la Pasión, Muerte, Resurrección y gloriosa Ascensión de Jesucristo; el paso de Jesús de la muerte a una vida nueva y gloriosa; el nombre que damos al plan de Dios de Salvación en Jesucristo.

¿Qué significa que Jesús es el Mesías?

La palabra *mesías* es un término hebreo que significa "ungido". Jesucristo es el Ungido, el que Dios prometió enviar para salvar a las personas.

¿Qué es la Salvación?

La palabra *salvación* proviene de un término latino que significa "salvar". La Salvación es librar a la humanidad del pecado y de la muerte a través de Jesucristo. La Salvación viene de Cristo a través de la Iglesia.

¿Qué es la Resurrección?

La Resurrección es el acontecimiento histórico de la resurrección de Jesús de entre los muertos a una nueva y gloriosa vida, después de su muerte en la cruz y su sepultura en el sepulcro.

¿Qué es la Ascensión?

La Ascensión es el regreso del Cristo Resucitado en gloria a su Padre en el Cielo.

¿Qué significa la Segunda Venida de Cristo?

La Segunda Venida de Cristo es su regreso en gloria al final de los tiempos para juzgar a los vivos y a los muertos.

Who is God the Son?

God the Son is Jesus Christ, the Second Person of the Holy Trinity. He is the only begotten Son of the Father who took on flesh and became one of us without giving up his divinity.

Who is God the Holy Spirit?

God the Holy Spirit is the Third Person of the Holy Trinity, who proceeds from the Father and Son. He is the Advocate, or Paraclete, sent to us by the Father in the name of his Son, Jesus.

DIVINE WORK OF CREATION

What is the divine work of creation?

Creation is the work of God bringing into existence everything and everyone, visible and invisible, out of love and without any help.

Who are angels?

Angels are spiritual creatures who do not have bodies as humans do. Angels give glory to God without ceasing and sometimes serve God by bringing his message to people.

Who is the human person?

The human person is uniquely created in the image and likeness of God. Human dignity is fulfilled in the vocation to a life of happiness with God.

What is the soul?

The soul is the spiritual part of a person, which never dies. The soul is the innermost being, that which bears the imprint of the image of God.

What is the intellect?

The intellect is an essential power of the soul. It is the power to know God, yourself, and others; it is the power to understand the order of things established by God.

What is free will?

Free will is an essential quality of the soul. It is the power to recognize God as part of our lives and to choose between good and evil.

What is Original Sin?

Original Sin is the sin of Adam and Eve by which they choose evil over obedience to God. As a result of Original Sin, death, sin, and suffering entered into the world.

JESUS CHRIST

What is the Annuciation?

The Annunciation is the announcement by the angel Gabriel to Mary that God chose her to be the Mother of Jesus, the Son of God, by the power of the Holy Spirit.

What is the Incarnation?

The word *incarnation* comes from a Latin word meaning "take on flesh." The Incarnation is the event in which the Son of God truly became human while remaining truly God.

What is the Paschal Mystery?

The Paschal Mystery is the saving events of the Passion, Death, Resurrection, and glorious Ascension of Jesus Christ; the passing over of Jesus from death into a new and glorious life; the name we give to God's plan of Salvation in Jesus Christ.

What does it mean that Jesus is the Messiah?

The word *messiah* is a Hebrew term meaning "anointed one." Jesus Christ is the Anointed One, whom God promised to save people.

What is Salvation?

The word *salvation* comes from a Latin word meaning "to save." Salvation is the saving of humanity from sin and death through Jesus Christ. Salvation comes from Christ through the Church.

What is the Resurrection?

The Resurrection is the historical event of Jesus being raised from the dead to a new glorified life after his Death on the Cross and burial in the tomb.

What is the Ascension?

The Ascension is the return of the Risen Christ in glory to his Father in Heaven.

What is the Second Coming of Christ?

The Second Coming of Christ is the return of Christ in glory at the end of time to judge the living and the dead.

EL MISTERIO DE LA IGLESIA

¿Qué es la Iglesia?

La palabra *iglesia* significa "asamblea", los llamados a reunirse. La Iglesia es el sacramento de la Salvación: el signo y el instrumento de nuestra reconciliación y comunión con Dios Santísima Trinidad y con los demás.

¿Cuál es la obra principal de la Iglesia?

La obra principal de la Iglesia es proclamar el Evangelio de Jesucristo e invitar a todas las personas a conocerlo y a creer en Él, y a vivir en comunión con Jesús.

¿Qué es el Cuerpo de Cristo?

El Cuerpo de Cristo es una imagen de la Iglesia que enseña que todos los miembros de la Iglesia son uno en Cristo, que es la Cabeza de la Iglesia, y que todos los miembros tienen una misión única y vital en la Iglesia.

¿Quiénes son el Pueblo de Dios?

El Pueblo de Dios son aquellos a los que el Padre ha elegido y reunido en Cristo, el Hijo de Dios Encarnado, la Iglesia. Todas las personas están invitadas a pertenecer al Pueblo de Dios y a vivir como una familia de Dios.

¿Qué es la Comunión de los Santos?

La comunión de los santos es la comunión de las cosas sagradas y de las personas santas, que forman parte de la Iglesia. Es la unidad de todos los fieles, los que viven en la Tierra, los que se están en el Purgatorio y los que están en el Cielo con Dios.

¿Cuáles son los Atributos de la Iglesia?

Los Atributos de la Iglesia son cuatro características esenciales de la Iglesia, a saber: una, santa, católica y apostólica.

¿Quiénes son los Apóstoles?

La palabra *apóstol* proviene de un término griego que significa "enviar". Los Apóstoles fueron los doce hombres que Jesús eligió y envió a predicar el Evangelio y a hacer discípulos de todos los pueblos.

¿Qué es Pentecostés?

Pentecostés es la venida del Espíritu Santo sobre la Iglesia tal como lo prometió Jesús; marca el comienzo de la obra de la Iglesia.

¿Quiénes son el clero?

El clero de la Iglesia son aquellos hombres bautizados que están consagrados en el Sacramento del Orden Sagrado para servir a toda la Iglesia. Los obispos, los sacerdotes y los diáconos forman el clero.

¿Qué es la vida consagrada?

La vida consagrada es un estado de vida para aquellos bautizados que prometen o hacen votos de vivir el Evangelio mediante la profesión de los consejos evangélicos de la pobreza, la castidad y la obediencia, en una manera de vivir que aprueba la Iglesia. La vida consagrada se conoce también como "vida religiosa".

¿Quiénes son los laicos?

Los laicos son todos los bautizados que no han recibido el Sacramento del Orden Sagrado ni han prometido o hecho votos de vivir la vida consagrada. Están llamados a ser testigos de Cristo en el núcleo mismo de la comunidad humana.

LA SANTÍSIMA VIRGEN MARÍA

¿Cuál es el papel de María en el plan de Dios?

María tiene un papel único en el plan de Dios de Salvación. Está llena de gracia desde el primer momento de su concepción, o existencia. Dios eligió a María para que fuera la madre del Hijo de Dios Encarnado, Jesucristo. María es la Madre de Dios, la Madre de Cristo y la Madre de la Iglesia. Es la santa más importante de la Iglesia.

¿Qué es la Inmaculada Concepción?

La Inmaculada Concepción es la gracia única dada a María, que la preservó totalmente de la mancha de todo pecado desde el mismísimo primer momento de su existencia y a lo largo de su vida.

¿Qué es la virginidad perpetua de María?

La virginidad perpetua de María es el hecho de que María permaneció siempre virgen. Era virgen antes de la concepción de Jesús, durante su nacimiento, y siguió siendo virgen durante toda su vida.

¿Qué es la Asunción de María?

Al final de su vida en la Tierra, la Santísima Virgen María fue llevada en cuerpo y alma al Cielo, donde participa de la gloria de la Resurrección de su Hijo. Ella oye nuestras oraciones e intercede por nosotros ante su Hijo.

THE MYSTERY OF THE CHURCH

What is the Church?

The word *church* means "convocation," those called together. The Church is the sacrament of Salvation—the sign and instrument of our reconciliation and communion with God the Holy Trinity and with one another.

What is the central work of the Church?

The central work of the Church is to proclaim the Gospel of Jesus Christ and to invite all people to come to know, believe in, and to live in communion with Jesus.

What is the Body of Christ?

The Body of Christ is an image for the Church that teaches that all the members of the Church are one in Christ, who is the Head of the Church, and that all members have a unique and vital work in the Church.

Who are the People of God?

The People of God are those the Father has chosen and gathered in Christ in the Church. All people are invited to belong to the People of God and to live as one family of God.

What is the Communion of Saints?

The Communion of Saints is the communion of holy things and holy people that make up the Church. It is the unity of all the faithful, those living on Earth, those in Purgatory, and those in Heaven with God.

What are the Marks of the Church?

The Marks of the Church are the four essential characteristics of the Church, namely, one, holy, catholic, and apostolic.

Who are the Apostles?

The word *apostle* comes from a Greek word meaning "to send away." The Apostles were those twelve men chosen and sent by Jesus to preach the Gospel and to make disciples of all people.

What is Pentecost?

Pentecost is the coming of the Holy Spirit upon the Church as promised by Jesus; it marks the beginning of the work of the Church.

Who are the clergy?

The clergy of the Church are those baptized men who are consecrated in the Sacrament of Holy Orders to serve the whole Church. Bishops, priests, and deacons make up the clergy.

What is the consecrated life?

The consecrated life is a state of life for those baptized who promise to live the Gospel through their vows of poverty, chastity, and obedience, in a way of life approved by the Church. The consecrated life is also known as the "religious life."

Who are the laity?

The laity (or laypeople) are all the baptized who have not received the Sacrament of Holy Orders nor have promised or vowed to live the consecrated life. They are called to be witnesses to Christ at the very heart of the human community.

THE BLESSED VIRGIN MARY

What is Mary's role in God's plan?

Mary has a unique role in God's plan of Salvation. She is full of grace from the first moment of her conception, or existence. God chose Mary to be the mother of the Incarnate Son of God, Jesus Christ. Mary is the Mother of God, the Mother of Christ, and the Mother of the Church. She is the greatest Saint of the Church.

What is the Immaculate Conception?

The Immaculate Conception is the unique grace given to Mary that totally preserved her from the stain of all sin from the very first moment of her existence, and throughout her life.

What is the perpetual virginity of Mary?

The perpetual virginity of Mary is the fact that Mary remained always a virgin. She was a virgin before the conception of Jesus, during his birth, and remained a virgin her whole life.

What is the Assumption of Mary?

At the end of her life on Earth, the Blessed Virgin Mary was taken body and soul into Heaven, where she shares in the glory of her Son's Resurrection. She hears our prayers and intercedes for us with her Son.

VIDA ETERNA

¿Qué es la vida eterna?

La vida eterna es la vida después de la muerte. En la muerte, el alma se separa del cuerpo. En el Credo de los Apóstoles, profesamos la fe en "la vida eterna".

¿Qué es la visión beatífica?

La visión beatífica es ver a Dios "cara a cara" en la gloria celestial.

¿Qué es el Cielo?

El Cielo es la vida eterna y la comunión con la Santísima Trinidad. Es el estado supremo de la felicidad; de vivir con Dios para siempre, para lo cuál Él nos ha creado.

¿Qué es el Reino de Dios?

El Reino de Dios, o Reino de los Cielos, es la imagen que usó Jesús para describir a todas las personas y la creación viviendo en comunión con Dios. El Reino de Dios se realizará completamente cuando Cristo venga otra vez en gloria al final de los tiempos.

¿Qué es el purgatorio?

El purgatorio es la oportunidad después de la muerte de purificar y fortalecer nuestro amor por Dios antes de entrar en el Cielo.

¿Qué es el infierno?

El infierno es la separación inmediata y eterna de Dios y los santos.

LA LITURGIA Y EL CULTO

¿Qué es el culto?

El culto es la adoración y el honor que dirigimos a Dios. La Iglesia adora a Dios públicamente en la celebración de la liturgia. En la liturgia, el misterio de la Salvación en Cristo se hace presente por medio del poder del Espíritu Santo.

¿Qué son los Sacramentos?

Los Sacramentos son siete signos del amor de Dios y las principales acciones litúrgicas de la Iglesia, a través de los cuales los fieles se hacen partícipes del Misterio Pascual de Cristo. Son signos efectivos de gracia, instituidos por Cristo y confiados a la Iglesia, mediante los cuales la vida divina se comparte con nosotros.

¿Cuáles son los Sacramentos de la Iniciación Cristiana?

Los Sacramentos de la Iniciación Cristiana son el Bautismo, la Confirmación y la Eucaristía. Estos tres Sacramentos son el fundamento de toda vida cristiana.

¿Qué es el Sacramento del Bautismo?

Por medio del Bautismo, nacemos a una nueva vida en Cristo. Nos unimos a Jesucristo, nos hacemos miembros de la Iglesia y volvemos a nacer como hijos de Dios. Recibimos el don del Espíritu Santo y se nos perdonan el Pecado Original y nuestros pecados personales. El Bautismo nos marca de manera indeleble y para siempre por lo cual pertenecemos a Cristo. Cuando un niño muere sin ser bautizado, la liturgia de la Iglesia incluye oraciones que encomiendan su Salvación a la misericordia de Dios.

¿Qué es el Sacramento de la Confirmación?

La Confirmación fortalece las gracias del Bautismo y celebra el don especial del Espíritu Santo. La Confirmación también imprime una marca indeleble en el alma y se puede recibir solo una vez.

¿Qué es el Sacramento de la Eucaristía?

La Eucaristía es la fuente y la cima de la vida cristiana. En la Eucaristía, los fieles se unen a Cristo para agradecer, honrar y glorificar al Padre a través del poder del Espíritu Santo.

¿Cuál es la obligación de los fieles de participar en la Eucaristía?

Los fieles tienen la obligación de participar en la Eucaristía los domingos y los días de precepto. Para la vida cristiana, es vital participar regularmente en la Misa y recibir la Sagrada Comunión.

¿Qué es la Misa?

La Misa es la principal celebración de la Iglesia, en la cual nos reunimos para escuchar la Palabra de Dios (Liturgia de la Palabra) y a través de la cual se nos hace partícipes de la Muerte y la Resurrección salvadoras de Cristo, y alabamos y glorificamos al Padre (Liturgia Eucarística).

¿Cuáles son los Sacramentos de Curación?

Los dos Sacramentos de Curación son la Penitencia y la Unción de los Enfermos. A través del poder del Espíritu Santo, se continúa la obra de Cristo de Salvación y curación de los miembros de la Iglesia.

¿Qué es el Sacramento de la Penitencia y de la Reconciliación?

El Sacramento de la Penitencia es uno de los dos Sacramentos de Curación por el cual recibimos el perdón de Dios por los pecados que hemos cometido después del Bautismo.

¿Qué es el Sacramento de la Unción de los Enfermos?

El Sacramento de la Unción de los Enfermos es uno de los dos Sacramentos de Curación. La gracia de este sacramento fortalece la fe y la confianza en Dios de quienes están gravemente enfermos, debilitados por su edad avanzada o moribundos.

LIFE EVERLASTING

What is eternal life?

Eternal life is life after death. At death the soul is separated from the body. In the Apostles' Creed we profess faith in "life everlasting."

What is the beatific vision?

The beatific vision is seeing God "face-to-face" in heavenly glory.

What is Heaven?

Heaven is eternal life and communion with the Holy Trinity. It is the supreme state of happiness—living with God forever for which he created us.

What is the Kingdom of God?

The Kingdom of God, or Kingdom of Heaven, is the image used by Jesus to describe all people and creation living in communion with God. The Kingdom of God will be fully realized when Christ comes again in glory at the end of time.

What is Purgatory?

Purgatory is the opportunity after death to purify and strengthen our love for God before we enter Heaven.

What is hell?

Hell is the immediate and everlasting separation from God.

LITURGY AND WORSHIP

What is worship?

Worship is the adoration and honor given to God. The Church worships God publicly in the celebration of the liturgy. In the liturgy the mystery of Salvation in Christ is made present by the power of the Holy Spirit.

What are the Sacraments?

The Sacraments are seven signs of God's love and the main liturgical actions of the Church through which the faithful are made sharers in the Paschal Mystery of Christ. They are effective signs of grace, instituted by Christ and entrusted to the Church, by which divine life is shared with us.

What are the Sacraments of Christian Initiation?

The Sacraments of Christian Initiation are Baptism, Confirmation, and the Eucharist. These three Sacraments are the foundation of every Christian life.

What is the Sacrament of Baptism?

Through Baptism we are reborn into new life in Christ. We are joined to Jesus Christ, become members of the Church, and are reborn as God's children. We receive the gift of the Holy Spirit; and Original Sin and our personal sins are forgiven. Baptism marks us indelibly and forever as belonging to Christ. When a child dies without being baptized, the Church's liturgy includes prayers entrusting their Salvation to God's mercy.

What is the Sacrament of Confirmation?

Confirmation strengthens the graces of Baptism and celebrates the special gift of the Holy Spirit. Confirmation also imprints an indelible character on the soul and can be received only once.

What is the Sacrament of the Eucharist?

The Eucharist is the source and summit of the Christian life. In the Eucharist the faithful join with Christ to give thanksgiving, honor, and glory to the Father through the power of the Holy Spirit.

What is the obligation of the faithful to participate in the Eucharist?

The faithful have the obligation to participate in the Eucharist on Sundays and holy days of obligation. Regular participation in the Mass and receiving Holy Communion is vital to the Christian life.

What is the Mass?

The Mass is the main celebration of the Church at which we gather to listen to the Word of God (Liturgy of the Word) and through which we are made sharers in the saving Death and Resurrection of Christ, and give praise and glory to the Father (Liturgy of the Eucharist).

What are the Sacraments of Healing?

Penance and Anointing of the Sick are the two Sacraments of Healing. Through the power of the Holy Spirit, Christ's work of Salvation and healing of the members of the Church is continued.

What is the Sacrament of Penance and Reconciliation?

The Sacrament of Penance is one of the two Sacraments of Healing through which we receive God's forgiveness for the sins we have committed after Baptism.

What is the Sacrament of Anointing of the Sick?

The Anointing of the Sick is one of the two Sacraments of Healing. The grace of this Sacrament strengthens our faith and trust in God when we are seriously ill, weakened by old age, or dying.

¿Cuáles son los Sacramentos al Servicio de la Comunidad?

Los dos Sacramentos al Servicio de la Comunidad son el Orden Sagrado y el Matrimonio. Estos sacramentos confieren una misión particular a ciertos miembros de la Iglesia para el servicio de edificar el Pueblo de Dios.

¿Qué es el Sacramento del Orden Sagrado?

El Sacramento del Orden Sagrado es uno de los dos Sacramentos al Servicio de la Comunidad. Es el sacramento por el cual los hombres bautizados se consagran como obispos, sacerdotes o diáconos para servir a toda la Iglesia en el nombre y la persona de Cristo.

¿Qué es el Sacramento del Matrimonio?

El Sacramento del Matrimonio es uno de los dos Sacramentos al Servicio de la Comunidad. En el Sacramento del Matrimonio, un hombre bautizado y una mujer bautizada dedican su vida a la Iglesia y el uno al otro en un vínculo para toda la vida de amor fiel dador de vida. En este sacramento, reciben la gracia para ser un signo viviente del amor de Cristo por la Iglesia.

¿Qué son los sacramentales de la Iglesia?

Los sacramentales son signos sagrados instituidos por la Iglesia. Incluyen bendiciones, oraciones y ciertos objetos que nos preparan para participar de los sacramentos y nos hacen conscientes y nos ayudan a responder a la presencia amorosa de Dios en nuestra vida.

LA VIDA MORAL

¿Por qué se creó a la persona humana?

La persona humana se creó para honrar y glorificar a Dios y para vivir una vida de bienaventuranza con Dios aquí en la Tierra y para siempre en el Cielo.

¿Qué es la vida moral cristiana?

Los bautizados tienen una nueva vida en Cristo en el Espíritu Santo. Responden a Dios cooperando con la gracia del Espíritu Santo y viviendo el Evangelio. Respondemos por medio de nuestra buena consciencia y la gracia del Espíritu Santo. La Sagrada Escritura y los Sacramentos nos nutren para rechazar el pecado y aceptar la voluntad de Dios.

¿Qué son los Diez Mandamientos?

Los Diez Mandamientos son las leyes de la Alianza que Dios reveló a Moisés y a los israelitas en el monte Sinaí. Están escritos en el corazón de todas las personas.

¿Qué son las Bienaventuranzas?

Las Bienaventuranzas son las enseñanzas de Jesús que resumen el camino a la verdadera felicidad, el Reino de Dios. Las Bienaventuranzas nos guían para que vivamos como discípulos de Cristo, manteniendo nuestra vida enfocada y centrada en Dios.

¿Qué son las Obras de Misericordia?

La palabra *misericordia* proviene de un término hebreo que destaca el amor y la bondad incondicionales de Dios que obran en el mundo. Son actos de amor y bondad por los cuales asistimos a las personas en sus necesidades corporales y espirituales.

¿Qué son los Preceptos de la Iglesia?

Los Preceptos de la Iglesia son responsabilidades específicas que se refieren a la vida moral cristiana, unidas a la liturgia y nutridas por ella.

SANTIDAD DE VIDA Y GRACIA

¿Qué es la santidad?

La santidad es el estado de vivir en comunión con Dios. Designa a la vez la presencia de Dios, el Santo, con nosotros y nuestra fidelidad a Él. Es la característica de una persona que lleva una relación correcta con Dios, con las personas y con la creación.

¿Qué es la gracia?

La gracia es el don de Dios de compartir su vida y su amor con nosotros. Las categorías de la gracia son: gracia santificante, gracia actual, carismas y gracias sacramentales.

¿Qué es la gracia santificante?

La palabra *santificante* proviene de un término latino que significa "hacer santo". La gracia santificante es un don de Dios concedido libremente y dado por el Espíritu Santo, como la fuente de santidad y un remedio contra el pecado.

¿Cuáles son los Dones del Espíritu Santo?

Los siete Dones del Espíritu Santo son las gracias que nos fortalecen para vivir nuestro Bautismo, o nuestra nueva vida en Cristo. Ellos son: sabiduría, entendimiento, buen juicio (o consejo), valor (o fortaleza), ciencia, reverencia (o piedad) y admiración y veneración (o temor de Dios).

¿Qué son los Frutos del Espíritu Santo?

Los doce Frutos del Espíritu Santo son los signos y los efectos visibles del Espíritu Santo que obran en nuestra vida. Ellos son: caridad (amor), gozo, paz, paciencia, longanimidad, bondad, benignidad, mansedumbre, fidelidad, modestia, continencia y castidad.

What are the Sacraments at the Service of Communion?

Holy Orders and Matrimony are the two Sacraments at the Service of Communion. These Sacraments bestow a particular mission on certain members of the Church to serve in building up the People of God.

What is the Sacrament of Holy Orders?

The Sacrament of Holy Orders is one of the two Sacraments at the Service of Communion. It is the Sacrament in which baptized men are consecrated as bishops, priests, or deacons to serve the whole Church in the name and person of Christ.

What is the Sacrament of Matrimony?

The Sacrament of Matrimony is one of the two Sacraments at the Service of Communion. In the Sacrament of Matrimony a baptized man and a baptized woman dedicate their lives to the Church and to one another in a lifelong bond of faithful life-giving love. In this Sacrament they receive the grace to be a living sign of Christ's love for the Church.

What are the sacramentals of the Church?

Sacramentals are sacred signs instituted by the Church. They include blessings, prayers, and certain objects that prepare us to participate in the Sacraments and make us aware of and help us respond to God's loving presence in our lives.

THE MORAL LIFE

Why was the human person created?

The human person was created to give honor and glory to God and to live a life of beatitude with God here on Earth and forever in Heaven.

What is the Christian moral life?

The baptized have new life in Christ in the Holy Spirit. They respond to God by cooperating with the grace of the Holy Spirit and living the Gospel. We respond using our well-formed consciences and the grace of the Holy Spirit. Sacred Scripture and the Sacraments nourish us to reject sin and accept God's will.

What are the Ten Commandments?

The Ten Commandments are the laws of the Covenant that God revealed to Moses and the Israelites on Mount Sinai. They are written on the hearts of all people.

What are the Beatitudes?

The Beatitudes are the teachings of Jesus that summarize the path to true happiness, the Kingdom of God. The Beatitudes guide us in living as disciples of Christ by keeping our life focused and centered on God.

What are the Works of Mercy?

The word *mercy* comes from a Hebrew word pointing to God's unconditional love and kindness at work in the world. They are acts of loving kindness by which we reach out to people in their corporal and spiritual needs.

What are the precepts of the Church?

Precepts of the Church are specific responsibilities that concern the moral Christian life united with the liturgy and nourished by it.

HOLINESS OF LIFE AND GRACE

What is holiness?

Holiness is the state of living in communion with God. It designates both the presence of God, the Holy One, with us and our faithfulness to him. It is the characteristic of a person who is in right relationship with God, with people, and with creation.

What is grace?

Grace is the gift of God sharing his life and love with us. Categories of grace are sanctifying grace, actual grace, charisms, and sacramental graces.

What is sanctifying grace?

The word *sanctifying* comes from a Latin word meaning "to make holy." Sanctifying grace is a gratuitous gift of God, given by the Holy Spirit, as a remedy for sin and the source of holiness.

What are the Gifts of the Holy Spirit?

The seven Gifts of the Holy Spirit are graces that strengthen us to live our Baptism, our new life in Christ. They are wisdom, understanding, right judgment (or counsel), courage (or fortitude), knowledge, reverence (or piety), wonder and awe (or fear of the Lord).

What are the Fruits of the Holy Spirit?

The twelve Fruits of the Holy Spirit are visible signs and effects of the Holy Spirit at work in our life. They are charity (love), joy, peace, patience, kindness, goodness, generosity, gentleness, faithfulness, modesty, self-control, and chastity.

LAS VIRTUDES

¿Qué son las virtudes?

Las virtudes son poderes espirituales, hábitos o comportamientos espirituales que nos ayudan a hacer el bien.

¿Cuáles son las Virtudes Teologales?

Las Virtudes Teologales son las tres virtudes de la fe, la esperanza y la caridad (amor). Estas virtudes "son infundidas por Dios en el alma de los fieles para hacerlos capaces de obrar como hijos suyos y merecer la vida eterna" (CIC 1813).

¿Cuáles son las Virtudes Cardinales?

Las Virtudes Cardinales son las cuatro virtudes morales de la prudencia, la justicia, la fortaleza y la templanza. Se las llama Virtudes Cardinales porque todas las virtudes morales se relacionan con ellas y están agrupadas en torno a ellas.

¿Qué es la conciencia?

La palabra *conciencia* proviene de un término latino que significa "ser consciente de la culpa". La conciencia es la parte de toda persona humana que nos ayuda a juzgar si un acto moral está de acuerdo o no con la Ley de Dios; nuestra conciencia nos mueve a hacer el bien y a evitar el mal.

Una conciencia bien formada es sincera. Hace juicios de acuerdo a la razón y refleja la voluntad de Dios. Cada uno es responsable de formar su propia conciencia. Debes buscar maneras de informar tu conciencia aprendiendo las Leyes de Dios y las enseñanzas de la Iglesia. Hacer un examen de conciencia diario sirve de ayuda para reflexionar si has vivido según la voluntad de Dios.

EL MAL Y EL PECADO

¿Qué es el mal moral?

El mal moral es el daño que por voluntad propia nos ocasionamos unos a otros y a la buena creación de Dios.

¿Qué es la tentación?

La tentación es todo lo que, dentro o fuera de nosotros, en vez de guiarnos a hacer algo bueno que sabemos que podemos y debemos hacer, nos lleva a hacer o decir algo que sabemos que está en contra de la voluntad de Dios.

¿Qué es el pecado?

El pecado es hacer o decir libremente y a sabiendas lo que está en contra de la voluntad de Dios y de la Ley de Dios. El pecado se pone en contra de la ley de Dios y aleja nuestro corazón de su amor.

¿Qué es el pecado mortal?

Un pecado mortal es elegir a sabiendas y voluntariamente hacer algo que está gravemente en contra de la Ley de Dios. El efecto del pecado mortal es la pérdida de la gracia santificante y, si la persona no se arrepiente, el pecado mortal lleva a la muerte eterna.

¿Qué son los pecados veniales?

Los pecados veniales son pecados menos graves que un pecado mortal. Debilitan nuestro amor por Dios y por los demás, y disminuyen nuestra santidad. Cuando cometemos pecados repetidamente, aunque sean veniales, desarrollamos vicios o hábitos inmorales. Algunos de estos vicios son pecados capitales coma la envidia y la ira.

¿Qué es un escándalo?

Un escándalo es una actitud, acción u omisión de uno mismo que causa que otra persona peque. Si la mala acción que comete es un pecado grave por tu acción u omisión, entonces tú también has cometido un pecado grave. Has tentado a otra persona para que peque en vez de darle un buen ejemplo.

ORACIÓN CRISTIANA

¿Qué es la oración?

La oración es una conversación con Dios. Es hablarle y escucharlo, elevando nuestra mente y nuestro corazón hacia Dios Padre, Hijo y Espíritu Santo.

¿Cuál es la oración de todos los cristianos?

La Oración del Señor, o el Padre Nuestro, es la oración de todos los cristianos. Es la oración que Jesús enseñó a sus discípulos y que dio a la Iglesia. Rezar el Padre Nuestro nos acerca más a Dios y a su Hijo, Jesucristo. Nos ayuda a ser como Jesús y a poner nuestra confianza en Dios Padre.

¿Qué es la oración de meditación?

La meditación es una forma de oración en la que usamos nuestra mente, nuestro corazón, nuestra imaginación, nuestras emociones y nuestros deseos. La meditación nos ayuda a entender y a seguir lo que el Señor nos pide que hagamos.

¿Qué es la oración de contemplación?

La contemplación es una forma de oración que es, simplemente, estar con Dios.

¿Qué son las devociones?

Las devociones son una parte de la vida de oración de la Iglesia. Son actos de oración comunal o individual que se originan en torno a la celebración de la liturgia.

THE VIRTUES

What are virtues?

The virtues are spiritual powers or habits or behaviors that help us do what is good.

What are the Theological Virtues?

The Theological Virtues are the three virtues of faith, hope, and charity (love). These virtues are "gifts from God infused into the souls of the faithful to make them capable of acting as his children and of attaining eternal life" (CCC 1813).

What are the Cardinal Virtues?

The Cardinal Virtues are the four Moral Virtues of prudence, justice, fortitude, and temperance. They are called the Cardinal Virtues because all of the Moral Virtues are related to and grouped around them.

What is conscience?

The word *conscience* comes from a Latin word meaning "to be conscious of guilt." Conscience is that part of every human person that helps us judge whether a moral act is in accordance or not in accordance with God's Law; our conscience moves us to do good and avoid evil.

A well-formed conscience is truthful. It makes judgments according to reason that reflect God's will. Everyone is responsible for forming his or her own conscience. You must find ways to inform your conscience by learning God's Laws and the teachings of the Church. It is helpful to make a daily examination of conscience. Then you can reflect on how you have lived according to God's will.

EVIL AND SIN

What is moral evil?

Moral evil is the harm we willingly inflict on one another and on God's good creation.

What is temptation?

Temptation is everything, either within us or outside us, that tries to move us from doing something good that we know we can and should do, and to do or say something we know is contrary to the will of God.

What is sin?

Sin is freely and knowingly doing or saying that which is against the will of God. Sin sets itself against God's Law and turns our hearts away from his love.

What is mortal sin?

A mortal sin is knowingly and willingly choosing to do something that is gravely contrary to the Law of God. The effect of mortal sin is the loss of sanctifying grace and, if unrepented, mortal sin brings eternal death.

What are venial sins?

Venial sins are sins that are less serious than a mortal sin. They weaken our love for God and for one another and diminish our holiness. When we repeatedly commit sins, even venial ones, we develop vices, or immoral habits. Some of these vices are capital sins such as envy or anger.

What is scandal?

Scandal is an attitude, action, or omission of your own that causes another person to sin. If the wrong they commit is gravely sinful because of your action or omission, then you have committed a grave sin too. You have tempted another to sin rather than setting a good example.

CHRISTIAN PRAYER

What is prayer?

Prayer is conversation with God. It is talking and listening to him, raising our minds and hearts to God the Father, Son, and Holy Spirit.

What is the prayer of all Christians?

The Lord's Prayer, or Our Father, is the prayer of all Christians. It is the prayer Jesus taught his disciples and gave to the Church. Praying the Lord's Prayer brings us closer to God the Father and his Son, Jesus Christ. It helps us to become like Jesus and to place our trust in the Father.

What is the prayer of meditation?

Meditation is a form of prayer in which we use our minds, hearts, imaginations, emotions, and desires to understand and follow what the Lord is asking us to do.

What is the prayer of contemplation?

Contemplation is a form of prayer that is simply being with God.

What are devotions?

Devotions are part of the prayer life of the Church. They are acts of communal or individual prayer that surround and arise out of the celebration of the liturgy.

Glosario

A-B

Apóstoles (página 110)

Los Apóstoles fueron los doce primeros líderes de la Iglesia. Jesús los eligió para que bautizaran y enseñaran en su nombre.

C-F

caja de los santos óleos (página 160)

Los santos óleos se guardan en la iglesia en un lugar especial llamado caja de los santos óleos.

castidad (página 190)

Es la virtud que nos guía para expresar nuestra sexualidad humana con modestia y continencia.

Cielo (página 206)

El Cielo es la vida eterna con Dios, María y los Santos.

conciencia (página 96)

La conciencia es el don de Dios que forma parte de cada uno y que guía a cada persona para saber lo que está bien o está mal y para juzgar cómo actuar moralmente bien.

Cuerpo de Cristo (página 110)

El Cuerpo de Cristo es una imagen del Nuevo Testamento para la Iglesia, que enseña que los miembros de la Iglesia son uno en Cristo, la Cabeza de la Iglesia.

Diez Mandamientos (página 190)

Se llama Diez Mandamientos a las Leyes de Dios reveladas a Moisés y a los israelitas en el Monte Sinaí.

El Gran Mandamiento (página 190)

Se llama Gran Mandamiento a la enseñanza de Jesús que nos dice que amar a Dios y amar a nuestro prójimo son inseparables.

Encarnación (página 80)

La Encarnación es el misterio del Hijo de Dios hecho hombre.

Eucaristía (página 142)

La Eucaristía es el último Sacramento de la Iniciación Cristiana en el que recibimos el sacrificio amoroso de Cristo haciéndose presente y recibimos el Cuerpo y la Sangre de Cristo. Al participar de la Sagrada Comunión, nos unimos más plenamente a Cristo y a la Iglesia, el Cuerpo de Cristo.

fe (página 64)

La fe es el don y el poder de Dios invitándonos a conocerlo y a creer en Él. También es cuando respondemos libremente a su invitación.

G-L

gracia (página 64)

La gracia es el don de la vida y la presencia amorosa de Dios.

Las Bienaventuranzas (página 206)

Se llama Bienaventuranzas a las enseñanzas de Jesús que describen a las personas que Dios bendice.

limosna (página 144)

La limosna es compartir nuestras bendiciones con los demás, especialmente con los necesitados.

liturgia (página 128)

La liturgia es la obra de la Iglesia, durante la cual el Pueblo de Dios adora a Dios. En la liturgia, Cristo continúa la obra de Redención en, con y a través de su Iglesia.

M-R

Mesías (página 80)

Mesías es un título de Jesús que significa que Él es el Cristo, el Ungido que Dios Padre prometió enviar para salvar a las personas.

Misa (página 142)

La Misa es la principal celebración sacramental de la Iglesia. Durante la Misa, nos reunimos para escuchar la Palabra de Dios y participar de la Eucaristía.

Misterio Pascual (página 82)

La Iglesia llama Misterio Pascual a la pasión, Muerte, Resurrección y gloriosa Ascensión de Jesús al Cielo.

Papa (página 116)

El Papa es el líder y maestro principal de la Iglesia Católica.

pecados (página 158)

Los pecados son aquellas acciones en que elegimos el mal libremente. Debilitan o rompen nuestra relación con Dios y con la Iglesia.

Penitencia y Reconciliación (página 158)

El Sacramento de la Penitencia y de la Reconciliación es un Sacramento de Curación en el que recibimos, a través del ministerio del sacerdote, el perdón de Dios por los pecados que cometimos después del Bautismo.

Pentecostés (página 96)

El día de Pentecostés, cincuenta días después de la Resurrección, es cuando el Espíritu Santo vino a los discípulos como Jesús lo había prometido.

Pueblo de Dios (página 110)

El Pueblo de Dios es una imagen del Nuevo Testamento para la Iglesia, que enseña que Dios Padre llama a todas las personas para que sean su pueblo en Jesús, su Hijo.

Reino de Dios (página 80)

El Reino de Dios es el reinado del amor de Dios en el mundo. El Reino de Dios no estará completo hasta que Jesús regrese en su gloria al final de los tiempos.

Revelación Divina (página 64)

La Revelación Divina es Dios que a través del tiempo da a conocer el misterio de sí mismo y su plan de Creación y Salvación.

S-U

sacramentales (página 126)

Estas bendiciones y objetos sagrados se usan en nuestro culto público y en la oración personal para ayudar a prepararnos para recibir la gracia.

Sacramentos al Servicio de la Comunidad (página 174)

Los Sacramentos al Servicio de la Comunidad son dos Sacramentos que apartan a miembros de la Iglesia para servir a la Iglesia a través del Orden Sagrado y el Matrimonio.

Sacramentos de la Iniciación Cristiana (página 128)

El Bautismo, la Confirmación y la Eucaristía son los Sacramentos de la Iniciación Cristiana. Estos tres Sacramentos son la base de la vida cristiana.

Sacramentos (página 128)

Los Sacramentos son los siete signos litúrgicos principales de la Iglesia, dados a nosotros por Jesús. Nos hacen partícipes de la vida de la Santísima Trinidad y, para los creyentes, son necesarios para la Salvación. Cada Sacramento confiere una gracia especial.

Santísima Trinidad (página 96)

El misterio de la Santísima Trinidad es que Dios es Uno en Tres Personas Divinas: Dios Padre, Dios Hijo, Dios Espíritu Santo; es la creencia principal de la fe cristiana.

Santos (página 68)

Los Santos son personas virtuosas cuyo amor por Dios es más fuerte que su amor por cualquier otra cosa o persona.

solidaridad (página 208)

La solidaridad significa estar conectado con los demás en nuestra comunidad o con la sociedad en general.

Unción de los Enfermos (página 158)

El Sacramento de la Unción de los Enfermos es un Sacramento de Curación que fortalece la fe, la esperanza y el amor por Dios de quienes están gravemente enfermos, debilitados por su edad avanzada o de los moribundos.

V-Z

vocación (página 174)

La vocación es un llamado especial de Dios para vivir una vida de santidad de una manera determinada.

Glossary

A–B

almsgiving (page 145)
Almsgiving is sharing our blessings with others, especially with people in need.

ambry (page 161)
Holy oils are kept in a special place in the church called an ambry.

Anointing of the Sick (page 159)
The Sacrament of Anointing of the Sick is a Sacrament of Healing that strengthens our faith, hope, and love for God when we are seriously ill, weakened by old age, or dying.

Apostles (page 111)
The Apostles were the first twelve leaders of the Church. Jesus chose them to baptize and teach in his name.

Body of Christ (page 111)
The Body of Christ is a New Testament image for the Church, which teaches that the members of the Church are made one in Christ, the Head of the Church.

C–F

chastity (page 191)
The virtue that guides us in expressing our human sexuality through modesty and self-control.

conscience (page 97)
Conscience is a gift from God that is part of every person, which guides the individual to know what is right and wrong, and to judge how to act morally good.

Divine Revelation (page 65)
Divine Revelation is God making known over time the mystery of who he is and his divine plan of Creation and Salvation.

Eucharist (page 143)
The Eucharist is the final Sacrament of Christian Initiation in which Christ's loving sacrifice of himself is made present, and we receive the Body and Blood of Christ. By partaking of Holy Communion, we are joined most fully to Christ and to the Church, the Body of Christ.

faith (page 65)
Faith is a gift and power from God inviting us to know and believe in him. It is also our free response to his invitation.

G–L

grace (page 65)
Grace is the gift of God's life and loving presence.

Heaven (page 207)
Heaven is everlasting life with God, Mary, and the Saints.

Holy Trinity (page 97)
The mystery of the Holy Trinity is that God is One in Three Divine Persons: God the Father, God the Son, God the Holy Spirit; the central belief of the Christian faith.

Incarnation (page 81)
The Incarnation is the mystery of the Son of God becoming man.

Kingdom of God (page 81)
The Kingdom of God is the reign of God's love in the world. The kingdom will not be completed until Jesus returns in glory at the end of time.

liturgy (page 129)
The liturgy is the work of the Church, during which the People of God worship God. In the liturgy, Christ continues the work of Redemption in, with, and through the Church.

M–R

Mass (page 143)
The Mass is the main sacramental celebration of the Church. During the Mass, we gather to listen to God's Word and share in the Eucharist.

Messiah (page 81)
Messiah is the title for Jesus that means he is Christ, the Anointed One God the Father promised to send to save all people.

Paschal Mystery (page 83)
The Church calls Jesus' Passion, Death, Resurrection and glorious Ascension into Heaven, the Paschal Mystery.

Penance and Reconciliation (page 159)
The Sacrament of Penance and Reconciliation is a Sacrament of Healing in which we receive, through the ministry of the priest, God's forgiveness for the sins we commit after Baptism.

Pentecost (page 97)
The day of Pentecost, fifty days after the Resurrection, is when the Holy Spirit came to the disciples as Jesus had promised.

People of God (page 111)
The People of God is a New Testament image for the Church, which teaches that God the Father calls everyone to be his people in Jesus, his Son.

Pope (page 117)
The Pope is the chief leader and teacher of the Catholic Church.

S–U

sacramentals (page 127)
These blessings and sacred objects are used in our public worship and personal prayer to help prepare us to receive grace.

Sacraments (page 129)
The Sacraments are the seven main liturgical signs of the Church, given to us by Jesus. They make us sharers in the life of the Holy Trinity and, for believers, are necessary for Salvation. Every Sacrament confers special graces.

Sacraments at the Service of Communion (page 175)
The Sacraments at the Service of Communion are the two Sacraments that set aside members of the Church to serve the Church through Holy Orders or Matrimony.

Sacraments of Christian Initiation (page 129)
Baptism, Confirmation, and the Eucharist are the Sacraments of Christian Initiation. These three Sacraments form the foundation of Christian life.

Saints (page 69)
Saints are holy people whose love for God is stronger than their love for anything or anyone else.

sins (page 159)
Sins are those acts we freely choose to do wrong. They weaken or break one's relationship with God and the Church.

solidarity (page 209)
Solidarity means to be connected to other people in our community or society at large.

Ten Commandments (page 191)
The Laws of God revealed to Moses and the Israelites on Mount Sinai are called the Ten Commandments.

The Beatitudes (page 207)
The teachings of Jesus that describe the people who are blessed by God are called the Beatitudes.

The Great Commandment (page 191)
The teaching of Jesus that tells us love of God and love of neighbor are inseparable is called the Great Commandment.

V–Z

vocation (page 175)
Vocation is a special call from God to live a life of holiness in a particular way.

Índice

Index